THE PERSIAN WEDDING

Bijan Moridani

For any information regarding this book, please contact Bijan Moridani at thepersianwedding@yahoo.com

• ***The Persian Wedding*** by **Bijan Moridani**

• Editor of the English Text: **Sahar Moridani**
• Editor of the Persian Text: **Reza Goharzad**

• Paintings by **Naser Ovissi** from the book *Sufi Art*, 2001.
• Cover Paintings by **Naser Ovissi** from the book *Sufi Art*, 2001, pages 45 and 58.
1381 Park Lake Drive, Reston, VA 20190

• Aghd Settings by **Kharman Akhavan**
• Photographs by **Sohrab Riyahi** (Sayeh Film)
Photograph on page 117 from *New Food of Life: Ancient Persian and Modern Iranian Cooking and Ceremonies*, courtesy of Mage Publishers, Washington, D. C.
• Art Consultant: **Ali Masoodi**
• Persian Calligraphy: **Massoud Valipour** (Ketabsara)
• Prepress Production: **Khachik, Sourena Mohammadi**

A catalogue record for this book is available from the Library of Congress.

ISBN 0-9770175-0-8

INNER LAYERS

Published by:
Inner Layers
P. O. Box 571535
Tarzana, California 91357-2492
U. S. A.

www.innerlayers.org
info@innerlayers.org

Printed in China.

First Edition, 2005. 3000 Copies.

To my wife of thirty years
Karen (K. joon),
our children
Sahar, Abrisham, Maziar
and our beloved grandson, Isaac

Publisher's Note

The Persian Wedding is published by **Inner Layers**, an independent, non-profit cultural organization dedicated to preservation and presentation of Iranian culture and society. **Inner Layers** is committed to documenting various dimensions of Iranian everyday life and culture, especially those aspects that have been historically neglected or marginalized by more traditional and formal analysis.

Through publishing books, audio-visual projects or electronic exhibits, **Inner Layers** will highlight segments of its archives in various formats. We aim to be an indispensable source for the collection, preservation and dissemination of materials and documents for researchers, historians, and others interested in exploring the complexities of Iranian culture.

Inner Layers' website, exhibitions and publications include materials that express the views of individual authors and creators. These materials do not necessarily reflect the views of **Inner Layers** or its directors and staff.

For more information on **Inner Layers**, please refer to www.innerlayers.org .

Acknowledgement

I started this book responding to a need. Not out of expert capability, but out of love. So this writing would not have become possible without the help and sincere cooperation of the people that I am going to name here with gratitude.

My wife Karen (K. joon) did the editing and typing of the first and rather brief copy of the English translation. The laborious and difficult job of the final editing and typesetting of this section fell to my daughter Sahar.

Reza Goharzad worked very hard in editing my jumbled pack of notes in the Persian part to put something cohesive together. Let me mention that based upon my own preferences, I have not followed some of his suggestions and changes. The resulting shortcomings are purely my responsibility.

The internationally renowned artist, Nasser Ovissi, generously offered the use of his paintings at no cost to this project. You see his beautiful works in this book. Kharman Akhavan, the talented artist of *aghd* settings, very kindly permitted me to use the pictures of her *aghd* settings, all photographed by Sohrab Riyahi (Sayeh film).

Ali Masoodi, the artist, journalist and art editor, guided me step by step in the artwork of this book. From the beginning, when I started to research the subject, Minoo Sharifan, the librarian of the Orange County Library of California, sincerely helped me. Javad Mostafavi, Director of Negaresh Publications, helped me with typesetting and page arrangements in the Persian version.

And finally, I have to mention that the second section of the Persian version of this book was actually written by Mrs. Gowhar Namdaran. In the English version I have translated it, trying to preserve her style of writing. Her firsthand account of the traditions that she remembers from her childhood, and those that were told to her by her grandmother, lend this book an authenticity and credibility that it would not have had otherwise. You will read the story of this cooperation in the related section.

I gratefully thank all of these friends. I am indebted to them.

Bijan Moridani

Table of Contents (The English Part)

Chapter Three - The Persian Wedding:
Some Generalities in Recent Past   74

Introduction

I wanted to explain traditional Persian wedding rituals to my children. I searched so that I may be able to find a book on the subject. Here and there, there was some information, but nothing in the form of a collection about the generalities, like a book devoted to the subject. As I was searching, a thought occurred to me: what were the effects of the different international attacks and dominations of Iran in the course of history on these traditions? This could be done only by comparison of these rituals between ancient Iran/Persia and the Iran of today. Such a research-oriented project would be for sociologists, anthropologists or historians. I have no such expertise, so this is a writing out of love, and with no claim of historical accuracy.

Of course, we can't claim that this comparison is between ancient times and today. The memories of the ancient era have been subjected to the theft of time, and not that many explanatory writings are left from those times. Yet a relative comparison with what we know indicates that as always, our people have managed to keep their traditions relatively intact despite the many hostile invasions by many different invaders. Even Islam, which replaced the original religion of

Zoroastrianism, has not changed these rituals and traditions much.

In the first chapter, the wedding tradition in today's Iran is presented. The second chapter, using a form of "oral history," will explain the Zoroastrian wedding during recent centuries. Then in the third chapter, the wedding tradition amongst the majority of Persians - the Moslems - is discussed. This chapter covers recent centuries up until the last 80-100 years. The last chapter gathers as much information as is available about the tradition of weddings in ancient Iran. When one compares these different segments of time, it is not difficult to conclude that actually only some details may have changed but the generalities have remained the same.

The everlasting stability and similarity of these rituals throughout the centuries extending throughout the depth of Persian history, is to such an extent that the review in different chapters sometimes seems to be repetition of the same rituals. It should be remembered that the purpose of showing similarities has been exactly to prove the resilience of the culture despite a tumultuous history.

Alavi in his book *Woman in Ancient Iran*, quotes from a book titled *Iran, a Brief History*, "Iranians adjusted and transformed their own traditions and rituals into their adopted religion, as though history passes them by without touching them. Some of these traditions have such deep roots in history that even

Alexander's invasion (2300 years ago) could not change them."[1]

I had a friend from India. In the dedication of her book [2] to her grandchildren, she wrote, "....(our country) is full of myths, legends and traditions. Try to know your heritage well. Keep the beautiful, meaningful traditions. And reject the rest." In Persian weddings, there is plenty of beauty. I have tried to include much of it. Here and there, there are points that have no beauty, have no harmony with our time, and have nothing indicating kindness and love. To be quite frank, I have omitted them. If you are very curious, you may review the resources of this writing.

It should be mentioned that celebrations, gifts and different items mentioned in this writing indicate a relatively financially comfortable family. In wealthier families, everything was more glorious and in less comfortable levels, naturally, everything was adjusted accordingly.

This is not a complete historical account and review of the tradition of marriage. More importantly, the religions of Iran are not limited to Islam and Zoroastrianism. Other minorities like Judaism, Christianity (mainly Armenians and Assyrians) and Bahaism also have existed and still exist in Iran. Their traditions could have been included in this book. These minorities usually identify first as Persian and then as the

---

[1] *Woman in Ancient Iran* (in Persian), Hedayatollah Alavi, Hirmand Publications, 1998, pages 85 and 86.
[2] Ishu Acharya, *The Big Banyan Tree*, Writers Press Club, 2001

religious minority that they are. They have contributed and protected the Iranian culture. In recent years, sometimes in long self-imposed exile, these minorities are even more active in the protection of our culture. In addition to those minorities, a review of local differences, as well as the effects of tribal living on tradition, could add significantly to the colors and essence, and enrich this writing. I do accept this shortcoming.

On the other hand, the goal of this book has been to indicate the common rituals between the past and the present of Iran, so that it can be shown how the culture calmly and quietly has resisted foreign influence and proven its resilience. So I leave the important task of gathering local differences as well as the traditions of the other minorities for a future project.

Let me use this opportunity and ask all who can contribute to send me any opinions and information regarding this book and the subject in general. If you send me any information, please mention if you prefer your name to be used if the material is used. Your contributions certainly can facilitate the completion of this endeavor and make future editions better.

I wrote this book first in Persian, using sources and materials that were largely in Persian. The following is a liberal translation of the Persian text of this book. In other words, it is not an exact word by word translation, but the content is the same.

To enable the reader to have a relatively correct pronunciation of Persian words, a relatively simple method has been used:

a like the "a" in "cat"
â like the "au" in "August"
i like "ee" in "glee"
gh like the French R (non-existent in English, a very throaty, guttural "G")
kh like the ch in German (non-existent in English, a very throaty "K")

Finally it should be mentioned that even in today's rituals, there exists some differences depending upon the region, religious tendencies, economic levels and finally, personal and family tastes. But the frame and philosophy of the tradition have remained the same, and in the end, it's love, love and love....

CHAPTER ONE

The Persian Wedding:
In Today's Iran

Painting:
Nasser Ovissi, from the book *Ovissi, Sufi Art*
(Partial print, page 56 of the book)

The Persian Wedding: In Today's Iran

In this section, the marriage ceremony as is practiced in today's Iran is explained. There may be many variations in detail but the generalities are the same.

Also, it seems that the basic steps of *khâstegâri* (asking for the girl), *nâmzadi* (engagement), *aghd* (the exchange of vows), and *aroosi* (the wedding reception) to a large extent are more or less the same as have been practiced for centuries. Many of these traditions and rituals come to us from the sasanid era (about 17 centuries ago or even long before that). Even Alexander's invasion, the Arab invasion and the Mongol invasion did not cause many changes in these traditions.

Didâr (to meet)

Very probably the young man and woman have seen or met each other ahead of time. These opportunities happen in the workplace, schools, universities, markets or family socializing in large groups. This socializing includes all ages from grandparents to grandchildren. The relatives and acquaintances may try to facilitate the encounters of the possible future candidates, but they try to do it without any clear indication of it (although there may be some hints). One should not mistake this with what has become known to western cultures as a prearranged marriage. Prearranged marriage is extremely rare. However, facilitation of the meeting of potential candidates is always present in the minds of the families.

The young man, who has his eyes on a young woman and probably is aware of her mutual interest, very conservatively informs his own family, usually his sister or his mother. A message is sent from the young man's family to the young woman's family. The girl either already knows about the boy's interest or will be immediately informed of it.

Usually, a general inquiry is done into the groom and his family, but of course the main focus is on the groom. The woman's family wants to know about his appearance, economic condition, education, morality and behavior. More important than anything is whether the woman is interested. In this regard, the views of the family members are mainly a consulting view rather than dictatorial advice. The decision is hers.

If the first response is negative, a polite message is sent and usually some kind of excuse is made and that is the end of it. If the response is relatively positive, an unofficial visit by the members of the man's family is paid to the woman's family. In this visit, further detailed information about the groom becomes available to her family. This also provides an opportunity for his family to see the girl if they have not seen her before. After this visit, one or both sides may decide not to pursue the issue. Although it may be rather uncomfortable, the other side accepts it quietly as something that was not meant to be. However, family objections are not enough to derail the process. If the boy and the girl want each other, the family cannot prevent it so easily. They may resist but no resistance is unshakeable.

If everything seems to be in order, the bride's family officially issues the permission for khâstegâri (asking for her) and the two sides decide upon a date for the khâstegâri.

Khâstegâri (asking for her)

On a predetermined date, the young man and his family dress up and go to the young woman's family's house. They are greeted warmly. Pastries are served. The girl enters the room carrying a tray of teacups and offers it to the guests. This is not an easy task. She is nervous and her hands are probably shaking. Sometimes, in the same setting, an opportunity is created so that the boy and the girl can meet privately and get acquainted. Meanwhile, others are talking about the news of the day, the weather and other such things so that it is not too obvious that the two main people are temporarily missing. If the result of the brief opportunity is positive, congratulations are exchanged.

At this time, the families determine the date of *baleh-borân* which is a gathering to discuss the wedding details. In some families, a gift, like a length of fabric for clothing, is given to the future bride to commemorate the occasion.

Baleh-borân (negotiations)

Marriage, within its deep roots, and in addition to love, contains an economic arrangement. The gathering of baleh-borân , at the home of the girl's family and with the elders of the two families present is for this purpose. All economic issues - *mahriyeh* (alimony), *shirbahâ* (the value of milk), the arrangements for the wedding ceremony and reception that follows, the number of guests and the potential places for the reception - are discussed and agreed upon.

Baleh-borân used to be one of the most troublesome stages of this union, but nowadays, due to the changes in lifestyle and social relationships, the chance of rapid success of these negotiations has increased. On the occasion of *baleh-borân*, they determine the date of official engagement.

Mahriyeh (alimony)

One of the most important negotiating issues during *baleh-borân* is the subject of *mahriyeh*. This is a kind of insurance that guarantees that if married life does not work and eventually ends up in divorce, this pre-specified amount is paid to the bride. The amount of *mahriyeh* depends upon the attitude of the two families. They have to come to an agreement about it. Sometimes just the negotiations about this issue may totally destroy the process. It may vary from a simple, symbolic thing, like a gold coin, to amounts that may be intolerable. This amount, theoretically, should be payable to the wife whenever she wants it, but in practice it is paid only in the case of divorce. For some families, the high amount of alimony indicates the high status of the girl and her family. On the other hand, many intellectual families consider it to be purely symbolic and non-monetary and as a result, a piece of crystallized sugar *(nabât)* or a book of poetry of Hafez or a religious book or a gold coin is given. In their view, the backbone of a marriage is the love between the two, not money. Intellectuals and social leaders advise the families to avoid imposing heavy, unreasonable alimony and other conditions and causing difficulties in the marriage of their children.

Nâmzadi (getting engaged)

There will be a party with some of the relatives and friends in addition to the members of the two families. The nâmzadi tray contains the engagement rings that the two have gotten for each other. Engagement rings are simple gold bands, usually without any precious stones, as opposed to the actual wedding rings. Sometimes other symbols, like a red rose or the book of poetry of Hafez (a symbol of love) or a religious book are included on the tray. Sometimes a small ornamental mirror is placed on the tray as well. Amid the happiness and cheering of the people present, the rings are exchanged. First, the boy puts the ring on the girl's finger and then the girl reciprocates. Everybody wishes them a good life and good luck. Tea, pastries, fruit and other refreshments are served by the bride's family. The engagement is now official. Socializing between the groom and the bride, to the level of going for a walk, shopping or similar activity is permissible, but a physical relationship can happen only after the official wedding.[3]

Shirbahâ (the value of milk)

In some families, there is a tradition called shirbahâ. It involves a certain amount of money that is given to the bride's family. The tradition of shirbahâ has been abandoned in many families. This should not be mistaken for "buying the bride." The literal translation is the value of milk given to the bride as a little baby. It symbolizes the hard work and endless effort spent in preparing a little girl for a grown-up life. When the girl marries, the result and fruit of all that effort is transferred to the groom and his family. The practical reality of *shirbahâ* is indeed to provide some help for the family of the bride who is paying for and providing *jaheeziyeh* (the dowry) which is a financial pressure for most of them. In many English language writings by non-Persian writers or even Persian ones, I have seen this tradition mistaken with "buying the bride" which shows the culturally limited understanding indicated in these writings.

---

[3] Since *namzadi* is the expression of intention of the bride and the groom to get married, socializing between the two is now acceptable. However, some ultra-religious Moslems arrange for an official religious statement of the permissibility of this socialization. This is called *sigheh-e-mahramiyat*, which means it is okay for the groom to see the bride.

Jaheeziyeh (preparing for an independent life – the dowry)

The bride's family prepares almost everything that the couple will need to start their independent life. They sometimes start this process when the bride is just a little girl. There are items that a mother, out of love for her daughter, has set aside for the *jaheeziyeh* of her daughter for when the time comes. *Jaheeziyeh* may include Persian carpets, a refrigerator, furniture, bedroom sets, cooking appliances, silverware, a sewing machine and outfits. On the other hand, providing a place to live, whether a house or at least a rented apartment, falls upon the groom.

Jaheeziyeh also indicates the economic capability of the bride's family. In the past, when life was simpler, preparing the *jaheeziyeh* was also easier. Today, the expansion of necessities has introduced electronic, technological and industrial appliances into the *jaheezieh*, creating additional economic pressure on the families. It is said that in the past, the generous people in any section of town would quietly help the families who were not financially well off. That would be considered the honor and prestige of their section of town.[4]

Preparing and providing a fantastic *jaheeziyeh* is a labor of love. The family does its best to do so.

---

[4] Recently, since life has become very complicated, and the weddings have become almost unaffordable, mass communal weddings, sponsored by the government, have gained some popularity.

Prior to the wedding, all that is included in the *jaheeziyeh* is transported to the couple's new house. The process of transporting is called *jahaz-barân*.

Nâmzad-bâzi (engagement flirtation)

There is no married person who does not remember the exciting, wonderful memories of the period of time in which they were engaged. In a culture where any contact between a man and a woman is strictly limited, even after *nâmzadi* (engagement), this episode, which lasts from the night of the engagement to the actual wedding, is treasured. It usually starts with brief visits, most often in the presence of family members, an exchange of loving looks and occasionally, if they are brave and an opportunity presents itself, stealing a kiss, which is always associated with a feeling of anxiety and excitement. The families do not consider *nâmzadi* to be a binding contract and therefore want to protect their honor, but the girl and the boy feel that they indeed belong to each other. So they wait with a lot of excitement for these rare and innocent opportunities. They will remember these days for the rest of their lives.

Sâghdoosh (best man and matron of honor)

At about the same stage, two of the female members of the bride's family or friends are chosen as her consultants/instructors. These two individuals, in addition to being friends, must also be relatively mature and experienced. The same is done on the groom's side. In Persian, there is only one term for both sides: *sâghdoosh*. The duty of these individuals is to educate the bride and groom about different aspects of marital life. In addition to social issues, one should note that in a society where premarital sexual relationships are not acceptable at all, the presence of such consultants and instructors is extremely educational and comforting.

Kharid (shopping)

At this stage, the future couple starts to do a lot of shopping. Jewelry, including wedding rings (which are different from engagement rings) and other needed items are purchased. During these shopping trips, the bride's sister or her best friend, and the groom's sister or close friend accompany the bride and the groom. The mothers of the bride and groom usually do not participate in these shopping trips, although they may indirectly supervise the process. Selecting and ordering the wedding gown and the groom's wedding suit is done at this stage, too.

It is an honor to be included as a member of the shopping team. The expense of the bride's shopping is paid for by the groom, and the expense of the groom's shopping is paid for by the bride. Sometimes, some items are bought for other members of the shopping team as a symbol of good luck and goodwill.

Nowadays, the number of members of the shopping team has been reduced. Sometimes only the bride and groom go on these shopping trips and do not take anybody else with them.

Jahâz-barân (carrying of jaheeziyeh)

Finally when everything is ready, it is all transferred to the groom's house. In the past they used horses, carriages and tray carriers. It was a sight to be seen. The caravan would be led by a person carrying a large mirror in front. Big trays, containing different items, were carried on the head of carriers, while other items were carried by camels or horses and carriages. Sometimes musicians played wind instruments and big drums to announce the wonderful occasion. Nowadays, with cars carrying the *jaheeziyeh*, the sightseeing aspect of it has become limited.

Aghd, Peymân-e-zanâshoee (exchange of vows)

Aghd, which is the official part of the wedding, and *aroosi*, which is the reception, usually happen on the same day and night. It is only after this process that the couple can indeed be physically together and have an intimate relationship.

In the process of *aghd*, the couple accepts each other as husband and wife and signs the related official documents. The reception, a huge celebration which happens after *aghd*, includes dinner and if not forbidden, music and dancing.

Aghd is usually performed by a religious authority or a civil servant officially authorized to perform it.

Both the legal and religious portions of the wedding are incorporated into the *aghd* ceremony, presided over by the religious authority. Depending upon the spiritual/religious beliefs of the bride and the groom, and the different religions in Iran, the religious pronouncements are slightly different.

The *aghd* ceremony takes place in the house of the bride's family with a limited number of family members, relatives and close acquaintances in attendance. The number of people attending the *aroosi* (reception) is a lot larger than for the *aghd*. The *aroosi* in many instances is held in a large house or a special hall or a big hotel. The *aghd* ritual is very traditional and beautiful. Before explaining further about the process of *aghd*, here the traditional and current setting of *aghd* is explained.

Sofreh-ye aghd (the setting)

There is a large ceremonial rectangular cloth, about four feet by seven feet in size. The size of it is not specified. Usually it is hand sewn. It is cashmere or a similar fabric with paisley designs of delicate golden or silver threads. They place it on the floor over the carpet with the long side of the cloth along the wall where it looks best, or towards Mecca.[5] The bride and groom's place will be on the opposite side of the cloth. This

---

[5] Some Moslems place the setting in a way that is in the direction of ghebleh (the direction of Islam's most important shrine – kaaba – in Saudi Arabia), so when the bride and the groom are sitting at the lower border of the setting, they are facing the direction of Kaaba.

cloth is a treasured item and is sometimes transferred from generation to generation.

The items placed on the cloth each have their own symbolic meaning. Although the wealth of the families may influence the quality of the items to some extent, the actual symbols are essentially the same. This tradition has not changed in centuries and is very dear to all Persians. Here I will name the items with some explanation of their symbolic meanings:

Âyeeneh-e-aghd (the mirror of aghd)

This is usually a relatively large mirror with an ornamental frame, probably about 20 inches by 30 inches. Slightly bigger or smaller would be all right. It should be large enough to show the image of the couple when they sit on the opposite side of it. When the bride enters the room and comes to the setting, the groom, for the first time, sees her image next to his. The mirror symbolizes reality and honesty.

Lâleh (the lamp)

Lâleh is a form of lamp usually made of a glass shade shaped like a tulip. A candle or a delicate electric light is placed inside it. The glass shade and the tall glass base are usually painted with antique images. Instead of a *lâleh*, any form of candelabra can be used. One *lâleh* or candelabra or candle is placed on each side of the mirror and, when lit, it gives a gentle, beautiful glow to the setting. The flame of the candle or the light of the *lâleh* symbolizes clarity and insight. Fire and light as a purifying force have always been respected by Persians and still, after so many centuries, are used on the *aghd* setting, *Norooz* setting (for the Persian new year) and *chahârshanbeh-soori* (jumping over fire prior to the new year). Even today, non-Zoroastrian Persians use light. That is an example of how traditions survive despite all invasions.

The mirror and the *lâleh* are prepared by the groom's family.

Khoncheh (the tray)

This is a large tray containing different colorful seeds and herbs in different designs. Many of the patterns are in the shape of a paisley which is a symbol of regeneration and fertility. Within all these different designs, different colorful seeds are placed. This tray is very important from a traditional point of view and the *aghd* setting, without it, would be missing an important part.

There are seven different materials used in this tray, all of which are for avoiding evil spirits and black magic or symbolizing abundance. The number seven itself has always been a sacred number for Persians since ancient times. The different plants and minerals include poppy seed, rice, angelica, salt, green leaves, nigella seed (black cumin or blessed seed) and wild rue. Rice symbolizes abundance. Poppy seeds are against black magic. Green leaves, salt and angelica are against evil eye. Wild rue is against evil spirits. Sometimes frankincense is also used to avoid evil spirits. For the black lines that separate the different designs, nigella seeds or other materials are used. Sometimes other items may be included that are slightly different based upon local customs. Every Persian expects this tray on the *aghd* setting, even though they might not be quite aware of the symbolic meaning or the supposed power of each substance.

Shirini (sweets)

Different containers and dishes of many kinds of Persian sweets are placed on the setting. The groom's family provides them all. These sweets, of course, symbolize the sweetness of life. They include *noghl* (sugarcoated almonds), *nabât* (sugar crystal), *bâklava* (a sweet flaky pastry), *nân-e-berenji* (rice cookies), *nân-e-nokhodchi* (chickpea cookies), *nân-e-bâdâmi* (almond cookies), *sohân asali* (honeyed almonds), and sometimes *toot* (dried mulberry).

Sangak (bread)

This is a triangular, large flatbread, about 12" by 30", which is cooked on a bed of hot pebbles. Sometimes the breadmaker, being aware of the special occasion, makes the bread in the shape of a paisley instead of its usual triangular shape. He is, of course, well rewarded by the groom. *Mobârak bâd*, a blessing of good luck and congratulations, is written on the bread. They use saffron or cinnamon or a gold solution with nice handwriting to write this phrase.

Nân-o-panir-o-sabzi (bread, cheese and herbs)

A dish full of Persian bread, Persian cheese (very similar to feta cheese) and fresh leafy vegetables such as mint, basil, radish, cilantro, watercress and tarragon, is placed on the setting. After the *aghd* ceremony, this is offered to the guests to bring them prosperity and success in their daily life.

Tokhm-e-morgh (eggs)

These boiled eggs, in silver and gold colors, symbolize fertility and renewal.

Bâdâm-o-gerdoo (almonds and walnuts)

Plates of almonds and walnuts symbolize abundance, fertility and renewal.

Asal (honey)

A container of honey symbolizes a sweet life. The couple, after signing the documents at the end of the official *aghd* ceremony, puts a small amount of honey in each other's mouths.

Kallehghand (sugar loaf/sugar cone)

Two cone-shaped loaves of sugar, wrapped in silk or lace and small enough to fit one in each hand are also a part of the setting. During the *aghd,* ceremony, a silk or satin rectangular piece of fabric, usually white and about two feet wide and five feet long is held above the head of the couple like a canopy by two women. A third woman, who is known to be happily married, holds the two cones of packed sugar, one in each hand, and rubs the base of the cones against each other. The delicate sugar particles rain over the silk or satin cloth that is held above the couple's heads, symbolizing the sweetness of this new life.

Gol (flowers)

Different flowers adorn the setting. Red roses, which symbolize love, and their thorns, which indicate occasional painful moments in life, are the main flowers. Jasmine, tuberose or other flowers of the season lend a nice fragrance as well as beauty to the setting.

Golab-o-golabdan (rosewater and its container)

This is a delicate, beautiful glass or metal container with different designs on it that contains rosewater, scenting the air with the fragrance of roses. In the past, it was customary for guests to use some *golab* on their hands and face for good luck. Nowadays, it is purely a traditional item.

Soozan-o-nakh (needle and thread)

In some settings, but not often, a needle and seven multicolor threads are also present. This is a remnant of the tradition in ancient times when the bride and the groom's sacred ceremonial belts, *koshti*, were tied or sewn together, symbolically, during the ritual of *aghd* ceremony, indicating the two becoming one. As time passed, during Islam's domination and to avoid any acknowledgement of the Zoroastrian root of the tradition, a different interpretation of this symbol was offered, stating that it indicates the sewing of the lips of anybody – specifically the in-laws – who dared to utter a negative word about the couple. The original interpretation was and is far superior, respectful and beautiful. In a culture where respecting others is one of the basic principles of moral behavior and especially during such a sweet occasion as a wedding, there is no justification for such a negative interpretation.

Manghal (coal brazier)

This is a container of hot charcoal that is used to burn wild rue. Symbolically, it is used to drive away evil spirits.

Hafez Book of Poetry or the Religious Book and Prayer Set

Depending upon the ideology of the families and the level of their religious commitments, any of these books may be used. Hafez book of poetry is essentially the highest literary symbol of love in Persian culture. On the other hand, based upon the religion of the couple, religious books may be placed on the *aghd* setting. Since Islam became the most common religion, the Qorân is often used. Prior to Islam, Zoroastrianism was the religion of Persia, so the *Avestâ* (the religious book of Zoroastrians) was used. One should be aware of the conflictive nature of some of these details. Some families, even if they are not very religious, prefer that the religious book is used. It is my feeling that anything that indicates love and good wishes should be welcome.

The seating arrangements of the bride and groom

The bride and the groom usually sit on two large cushions or *mokhaddeh* or short, well-cushioned stools. These are placed on the opposite side of the mirror along the side of the *sofre-e-aghd*. They should be able to see their image in the mirror while they are sitting. Some people use chairs instead of the cushions or stools which is fine and probably a little more comfortable, but not as traditional.

Lebâs-e-aroosi (wedding clothing)

From all that I can gather, the white wedding gown, which is more or less the same style that is worn universally now, was not used in old Iran. An example of the multicolored velvet outfits used before can be found in the chapter on the Zoroastrian wedding in this book. However, in recent times, the usual white gown became the norm and Persian brides are as excited about their wedding gowns as any other bride is all over the world.

The groom's outfit seems to have always been a new version of what he wore everyday. In Zoroastrian weddings, at the time of the wedding ceremony, the groom wears a *sedreh* over his usual suit. *Sedreh* is a thin, light, white wide robe or shirt. Then a 72-thread woven cord *koshti* is used over it as a belt-like structure. In the Parsi wedding (the Persian Zoroastrians who migrated to India when Arabs attacked Iran), the word *sâyeh* is used for almost a similar thing. But for other Persians today, the groom wears a new suit, but nothing is specific about it.

In terms of the symbolic meaning of the wedding gown and its white color, the white color indicates purity and the folds of it indicate mystery and modesty. In any case, some minor variations of the wedding gown seem to be acceptable, too.

Aghd ceremony (exchange of vows)

This part is done usually in the afternoon or near the time of sunset. In some locations, the bride sits at the side of the *aghd* setting and then the groom enters. The first image that he sees in the mirror is the image of the bride. In some localities, the groom is the one who sits and waits. This is a sign of his respect and desire for the bride and being eager. To me, this second arrangement seems more beautiful. The groom sits on the right side of the bride. This is a sign of respect. The bride sits on the left side of the groom, closer to his heart.

A religious authority or a licensed civil authority performs the *aghd* ceremony. Throughout the ceremony, cone-shaped sugar loaves are rubbed together above the silk or satin cloth. This is the rain of sweetness over the cloth symbolizing a sweet life.

Sometimes a few people take turns rubbing the sugar cones together.

The person performing the *aghd*, after a brief introductory speech mixed with verses of the religious book, asks the bride if she accepts the groom as her husband. This question is traditionally repeated three times. The first and second time the bride does not respond. Other people make excuses like, "she went to the library," or "she has gone to pick some flowers." Finally, the third time, very quietly, she responds, "*baleh* (yes)." It is said that not responding the first two times indicates that the bride is entering this marriage with enough thoughtfulness and wisdom. I wonder if feminine coquetry has some part in it, too! The groom's acceptance of the bride as his wife has been obtained ahead of time by the official.

After the bride says yes, the official makes the usual statements and announces that these two are now husband and wife.[6] The crowd of family and friends erupts into shouts of good cheer and happiness. Usually one or two witnesses sign the official documents as well. If either the bride or groom is not Persian, a simultaneous translation of the whole event occurs parallel to the Persian ceremony.

At this point, the couple usually kisses each other. Then they put a small amount of honey or *noghl* (sugarcoated almonds) in

---

[6] Based upon the Islamic law, the religious authority indeed is asking the bride if she agrees to give the religious authority the legal power to perform the contract of marriage on her behalf. The groom's agreement has been received prior to the beginning of the ceremony.

each other's mouths. The family, relatives and friends throw a mixture of small gold and silver coins and *noghl* over their heads. Then the guests give gifts, usually jewelry. There is usually a brief celebration with rhythmic Persian music and dancing. Soon after, people leave to get ready for the major celebration on the very same night. The couple keeps the remainder of the sugar loaves for the rest of their lives.

If either the bride or groom is not Moslem, the general rule is that he or she should convert to Islam. This is more serious if the groom is non-Moslem, because Islam forbids marrying a non-Moslem. However, the authorities involved have a great deal of understanding and have plenty of flexibility. Outside of Iran, in some cases, the couple decides to avoid the religious aspect of the marriage without omitting the traditional ceremony. In that case, they cover the legal aspect by marrying in front of a justice of the peace. Then they follow the usual traditional ceremony. The change of religion of the non-Moslem side would not then be an issue.

If the marriage ceremony happens outside of Iran, even if both the man and the woman are Persian, immediately after the Persian part of the ceremony, the official switches to the language of the host country and uses the official statements of that country to officiate and register the wedding according to the rules of that country as well.

Jashn-e-aroosi (wedding reception)

Most of the friends and relatives and their families are invited. The invitations are sent. Since the expense of *jashn-e-aroosi* is the responsibility of the groom's family, the total number of guests is related to their financial capability, but of course, agreed upon by both sides.

The arrangements for the music bands[7] as well as major cooking arrangements and also the reservation of the place for the reception are done way ahead of time. The photographers (and these days, video production technicians) are also all reserved.

The close relatives bring gifts of jewels, others give flowers, vases and other objects as gifts to the newly wed couple.

Aroosi is a grand affair with an abundance of food, music and dance. Different *kabobs* (meat roasted on skewers), *javâher polo* (literally jeweled rice – rice that is cooked with chicken, raisins, barberries, saffron, slivered pistachios, slivered almonds and different spices), *shirin polo*, *bâghâli polo* with meat and many other kinds of dishes are served. After dinner, a large cake is brought in with some kind of small symbol of love and togetherness on top of the cake. This can be a

---

[7] At some weddings, if the families are strongly religious or if, for example, a close family member has just died but they cannot postpone the wedding, the celebration of that wedding will be done without any music. This is called "*aroosi-ye-bisarosedâ*" (soundless wedding).

figurine of lovebirds or a bride and groom. I personally think a bride and groom figurine is a little too obvious while everything in this ceremony is so symbolic. So I prefer a figurine of two little birds, but that, then, is my personal taste.

The bride and groom, together, make the first cut of the cake and put a small amount of it in each other's mouths. Then others join in and share. The music and dancing is continued for hours. The *aghd* and *aroosi* (wedding ceremony and reception) is always a memorable event. They make sure that enough food and sweets are left to be given to all who could not come to the wedding or all who worked so hard to make the event flow flawlessly.

Mobârak-bâd (the song)

There are many pieces of music and songs which are performed during the celebration of *aroosi*. There is one song that is specifically played in all weddings as the bride and the groom enter the reception hall as well as at other special moments. That is the song *Mobârak-bâd*, which means anything from congratulations to wishing for prosperity. Generally it is wishing the couple well, wishing for their happiness and unity. It talks about the sweetness and beauty of the bride and what a wonderful night it is when the two become one.[8]

---

[8] I tried to find the origin, name of the songwriter and the date the song was made, but I could not. Maybe nobody knows, maybe somebody will let us know for future editions of this writing.

Aroos Bordan (the wedding motorcade)

Sometimes the couple has reserved a room in a hotel for the night or they may go to their own place. The accompanying of the couple to their place is called *aroos bordan*. This is done in a celebratory fashion. Some of the guests, in their own cars, accompany the couple who is in their car, decorated with plenty of flowers, driving around town. They flash their headlights and beep their horns. Even though by this time it is late at night, people do not mind the noise. When they finally arrive at their chosen destination, the guests, except for the main family members, disappear.

As the newlyweds enter their home, the bride spills a container of water placed next to the entrance door. The water symbolizes cleanliness and purity. There is a little bit of loving competition as they enter. The bride steps on her husband's foot. This makes her the real "master" of the house. If they are spending the night at a hotel then this part of the tradition is done the next day when they come to their house.

Dast be dast dâdan (joining of the hands)

Usually, in the last moments, the father of the groom or some other older member of the groom's family comes forward and puts the hands of the bride in the hands of the groom, kisses the bride's forehead and wishes them a good life. This is the way that he puts their trust and destiny in each other's hands.

Saying goodbye for the family is always an emotional scene, especially for the girl, because this is the first time she is separated from her family. Usually both the bride and her mother cry, and others try to hide their own tears.

Hejleh (the room)

This is a beautiful tradition. From a practical point of view, it may not be very easy these days, but, with a little bit of taste and a small amount of extra expense, it is a doable thing. It is so beautiful that we should try to revive it.

The room is prepared for the bride and groom. Usually, colorful, delicate, almost sheer silk or other very delicate fabric is hung from the ceiling to the floor to enclose the bed and separate the bed area from the rest of the room. A private, colorful area surrounded by wisps of fabric is arranged in this way. The walls of the room are decorated with flowers. The gentle glow of a few *lâlehs* or candles provides the light. These arrangements create a very dreamy and memorable environment for the bride and the groom to become one for the first time.

Pâtakhti (day after wedding) or
Mâh-e-asal (the honeymoon)

Honeymoons are not a traditional part of weddings in Iran. The custom is borrowed from the west. Indeed, traditionally, the day after the wedding is *pâtakhti* which is another celebration in the bride's family's house. The groom comes to kiss the hands of the bride's mother, indicating his gratitude, appreciation and respect. Then the other guests come and bring some gifts. It seems that these days *pâtakhti* has given its place to the honeymoon. It is not a bad idea. The couple, after all the anxieties and excitement associated with the wedding, could use a few days of rest and relaxation so that they can start their new life in a calm environment. The rich Persian culture certainly can absorb parts of other cultures to enrich itself even further.

Pâgoshâ (the new life)

After returning from their honeymoon or after *pâtakhti*, the socializing of the new couple starts. Different relatives and friends invite them to various gatherings. This is the way that the new couple is received as an independent social unit. This is also an opportunity for the relatives and friends of the two sides to get to know each other, thereby expanding the circle of social connections.

Chronology
The Persian Wedding in Today's Iran

➢ The meeting, the interest
➢ He informs his family
➢ Expression of intention to the bride's family
➢ Asking the opinion of the girl and investigation about the groom and his family
➢ If negative, informing the young man's family
➢ If positive, informing the young man's family
➢ *Khâstegâri* (officially asking for her)
➢ *Baleh-borân*, discussion of *mahriyeh, shirbahâ* and *jaheeziyeh*
➢ *Nâmzadi* or *shirini-khorân*, exchange of rings
➢ Now socializing is possible
➢ The shopping
➢ The final arrangements about *aghd* and *aroosi*
➢ *Jahâz bordan* (transporting the *jaheeziyeh* to the groom's house)
➢ *Aghd* (exchange of vows) in the bride's family's house *aghd* setting
➢ *Aroosi* (reception celebrations) in the groom's family house or a hall, etc.
➢ *Aroos bordan* (the couple going to where they want to go)
➢ *Dast be dast dâdan*
➢ *Hejleh*, uniting
➢ *Pâtakhti, mâh-e-asal* (honeymoon)
➢ *Pâgoshâ*, the socializing of the new couple, invitations by the friends and relatives after the honeymoon

CHAPTER TWO

The Persian Wedding:
Zoroastrian Wedding in Recent Past

Painting:
Nasser Ovissi, from the book *Ovissi, Sufi Art*
(Partial print, page 80 of the book)

To review the roots of Persian wedding tradition, especially amongst Zoroastrians, using a sort of oral history, I asked my friend Dr. Farzad Namdaran to help me collect what is available about the Zoroastrian traditional wedding. He referred the request to his mother. What follows in this section is what Mrs. Gowhar Namdaran has written in Persian, translated into English by me. Her writing is so descriptive and visual that I wish I were a filmmaker so that I could use it to make a film. I have taken the cautious liberty of extremely limited editing of her writing in this translation. I owe this great lady.

Bijan Moridani

First Page of Handwriting of Mrs. Namdaran

تاریخ اول ژانویه ۲۰۰۱ مطابق ۱۰ دی ۱۳۷۹ شمسی

من گوهر نامداران کشاورز پسرم فرزاد نامداران از من خواسته که مراسم عروسی زرتشتیان را هرچه بیاد دارم از قدیم بنویسم. برای من کار مشکلی بود - ولی سعی کردم چند سطری نوشتم.

من در طول عمر ۸۰ ساله‌ام آنچه بیاد دارم و از مادر بزرگم شنیدم می‌نویسم. ممکن است اشتباه یا کم و کسری داشته باشه. مرا ببخشید.

گوهر نامداران

January 1, 2001

I am Gohar Namdaran Keshavarz. My son Farzad Namdaran has asked me to write whatever I remember about the weddings, ancient customs and traditions of Zoroastrians. It was difficult for me, but I tried and wrote a few lines. I am writing what I remember in my 80 years of life as well as what I have heard from my grandmother. It is possible that this may contain some mistakes or omissions. Forgive me.[9]

Gowhar Namdaran

[9] Since this is based upon memory, it can be related to the relatively recent past or present. The original names, customs, rules and rituals of the tradition may or may not have been somewhat different.

Some General Notes about Zoroastrians

I will write what I remember, have seen or even heard about. As you know, Zoroastrians have deep historical roots.[10] After the Arabs attacked Iran[11] one group of Zoroastrians escaped and went to India. They became known as Parsis. They lived freely in India, but the group who remained in Iran, in the cities of Yazd and Kerman, unfortunately, were not free. They had a difficult life and were under persecution and harm from Moslems. During the Qajar dynasty's reign, especially that of Naseredin Shah,[12] gradually they were permitted to come to Tehran, only to do trivial jobs as gardeners or hired farmers. They had to pay an additional tax called *jaziyeh*[13] to the government. They were not permitted to enter Moslem gatherings. They could not employ Moslem workers. They had to live in houses built by themselves in special areas. Near the end of Naseredin Shah's rule, one of the Parsis of India, named Manookgee, came to Iran and visited Naseredin Shah and made arrangements so that Zoroastrians would pay the same income tax as Moslems. They also made elementary schools for boys and for girls so that Zoroastrian children could go to school. They also bought a large piece of land to

---

[10] The historical time of Zoroaster, based upon different research and opinions, dates back to between 3500 and 9000 years ago (see resources).
[11] Arabs attacked Iran about 1370 years ago.
[12] Naseredin Shah ruled from 1847 to 1896.
[13] *Jaziyeh* was an additional tax – in addition to the usual tax, which was imposed upon the people who did not want to convert to Islam.

build a temple as well as a high school, both of which are still in existence. The Zoroastrian representative of Tehran was named Arbab Jamshid Jamshidian, a businessman who imported merchandise from India and Russia. He had a big commercial firm. Many Zoroastrians worked in the firm. Unfortunately, Naseredin Shah was assassinated [in 1896] and Arbab Jamshid went bankrupt.

At about the same time there was a movement amongst people of Iran demanding a constitutional monarchy. Finally, Reza Shah Pahlavi became the king [in 1925] and established law and order. A *majlis* (parliament) was formed. Zoroastrians got a representative in the parliament and gradually achieved their rights. As mentioned above, Zoroastrians were under some limitations regarding where they lived, usually in the cities of Yazd and Kerman. They had to produce what they needed and bartered amongst themselves. This included agricultural products from bread, dairy products and meat, to fabric weaving, carpet making and silk production. They produced silk from silkworms fed by mulberry leaves making cocoons and spinning silk thread and eventually making *tâfteh* (silk cloth) as well as the green large square fabrics which were used to carry things like fruit. As a result of geographical limitations and proximity of their lives, the weddings were more or less amongst people who were acquaintances or relatives.

The Persian Wedding: Zoroastrian Wedding in Recent Past

The Beginning

The minimum age for marriage for girls was 15 and for boys was 18. Choosing the spouse, especially for girls, was the responsibility of the parents. Boys also could not act directly as the suitor. The father of the young man (if the father was not alive, the senior male member of the family) would first go and talk to the father of the girl and ask permission on behalf of his son. This was called *khâstegâri* meaning the expression of the desire for marriage – a proposal. The parents of the girl then would investigate the potential groom's family, his business or job and especially the level of education of the young man. After a few days, if they were agreeable to the proposal, they would let the girl know. The tradition and upbringing was in a way that the girl usually would agree to whatever the parents recommended.[14] If, as mentioned before, the two families

---

[14] According to *Women in Ancient Iran*, based upon Zoroaster's principles, the agreement or disagreement with the recommendation of the family was the girl's right. Zoroastrianism considers man and woman equal.

knew each other, then the girl and the boy had seen each other and knew each other. If they had never seen each other, then there would be a gathering in which they would be introduced to each other. Once the girl expressed her agreement to her father, he would inform the father of the young man. Then they would announce it to all the relatives.

Gol o Nâr (Zoroastrian term for negotiations, also referred to as Baleh-borân)

After a few more days, the groom's mother and sister would bring a large loaf of sugar, *kallehghand,* a green length of fabric, a pomegranate, a branch of an evergreen tree and a bouquet of *âvishen* flowers to the bride's family's house. Zoroastrians call this *gol o nâr* (flower and pomegranate). The solid sugar loaf wrapped in green indicates the sweetness of life. Pomegranate is a heavenly fruit and the evergreen indicates everlasting happiness. *Âvishen*[15] is a wildflower with a pleasant aroma. The dried *âvishen,* mixed with almonds, cardamom and mountain ash tree fruit[16] is used as a mixture to be offered during celebrations and happy occasions. The green fabric is made of pure silk made in Yazd.

---

[15] *Âvishen* is from the family of thyme with a nice aroma and white or pink flowers. The dried, crushed leaves are used in cooking.
[16] *Senjed* is the fruit of the mountain ash tree.

Nâmzadi (getting engaged)

The two families choose a blessed day for the engagement. In Zoroastrian traditions, every day of the month is named after *emshasfandan* (the angels) so there is no bad day. Some people still choose a specifically blessed day for their engagement. A different name for the ceremonies of this day is *shirini-khorân* (to eat sweets).

The expenses of the engagement day are the responsibility of the bride's family. The wedding expenses are the responsibility of the groom's family. There is some level of pre-arranged agreement on gift exchanges between the two sides as well as the list of guests who will be invited. The first thing to do is to get the engagement rings. On a pre-arranged day, two women from each side, along with the bride and groom, go to measure and choose the rings for both sides as well as fabrics and purses and shoes according to the taste of the bride and the groom. This process may take a few days. The items bought on behalf of the young man include a *halgheh* (ring) and an *angoshtar* (jeweled ring) and, if they want, a gold bracelet. Three lengths of fabric, one of them green silk, a pair of shoes, a purse with silver and gold coins inside it, a branch of *shâkheh nabât* (crystallized sugar) or the same candy made in the shape of a bowl called *kâsseh nabât* as well as a few sugar loaves are to be given to the father, mother, brother and the sister of the bride. A *majma* (large tray) full of dishes of *noghl* (sugar-coated pieces of almond), *bâklava, and nân-e-berenji* (a kind of pastry) and other pastries are lifted by a strong person and carried to the house of the bride. The wealthy would have a few of these large trays. Zoroastrians usually covered the trays with green fabrics. These large trays and their contents were called *khoncheh*. On the day of the *nâmzadi* (engagement party), with the bride's family inviting the guests, a few of the close relatives of the groom, including his parents, take the items that have been prepared and go to the bride's family's house. In front of the house, they light a large candle, candelabra or *lâleh*, (a large tulip-shaped colored glass with a large ornamental base containing candles). A young man, holding the lighted *lâleh* enters the house. The bride's side is ready with a *manghall* (brazier) full of red-hot charcoal. *Esfand* (wild rue) and *kondor* (frankincense) is poured on the hot charcoal as incense.

Hâbirâ (expression which means good luck and best wishes)

A group of young relatives says *hâbirâ*. Following the person carrying the *lâleh*, another person carrying a basket of flowers enters. Then the groom, along with his parents, comes in. The bride's mother showers the groom with *âvishen* flowers or a mixture of *âvishen* flowers and silver coins. Then the trays of gifts and sweets are brought in and placed on a table. The expressions of happiness and good luck meanwhile are continued. People sit. The groom sits on a special chair. After a few minutes, the mother of the groom stands up. She gives a sugar loaf with green leaves to the father of the bride and another one to her mother and asks for their permissions for the bride to come into the room. A group of young girls goes out of the room while continuing the expression of happiness and joy, singing along with *dâyereh* (tambourines). The bride is sitting and ready. They bring her to the room and she sits next to the groom. The groom's mother stands up and gives the future bride a sugar loaf and some *âvishen* flowers and kisses her. The parents and relatives of the groom sit on his side of the room and the parents and relatives of the bride sit on her side of the room. After the mother of the groom kisses the bride, they bring the tray containing the ring and the jeweled ring and put it on a small table in front of the future couple. The groom's father picks them up and gives them to the groom to put them on the bride's fingers. The same thing is done by the bride for the groom. Then the other gifts, including the men's fabric length of wool, a pair of gold cufflinks, a wallet with a knife and silver and gold money are given to the groom. If the groom has given a bracelet or other jewelry, then the bride gives a watch. All of these gifts have been pre-decided and pre-arranged.

Then they offer some *noghl* to each other. Then some sugar loaves are exchanged amongst the relatives. Then somebody on the groom's side picks up the gift trays and carries it in front of all the guests so that they all can see the gifts given by the groom. The same thing is done by the bride's side. All this takes about two hours. Then they bring in *sharbat* (sweet drinks). First the groom picks up a glass and offers it to the bride and then serves himself. All through this process the expressions of happiness are continued and people applaud. Then they bring *sharbat-e-golâb* (rosewater sweet drinks) and *noghl* to the guests. Eating, music, folk songs and dances follow. The guests themselves play drums and the young people dance as a group. It should be mentioned that in the past it was mainly the women who danced. Men joined in less often, but if they did, it was all right. Gradually, they got mixed – men and women.

The next stage was about one week later when the bride's family goes to the groom's house. Following a similar but less ceremonious pattern, the gifts are carried to the groom's parents' house, but the bride does not go.

Pâgoshâ

After about one week the father of the bride invites the groom and his relatives for dinner. This is called *pâgoshâ*. Now the bride and the groom have the right to socialize with each other. As a gift for the occasion, the groom brings a green cloth full of sweets and gold coins.

The engagement period is for the purpose of the bride and the groom getting to know each other better. If they see any problem or shortcomings they take care of it themselves if they can. If not, they discuss it with their parents so that they can resolve it. If that is not possible, they can break the engagement. During the engagement period, they have the right to dissolve the relationship. If they marry, they don't have the right to separate.[17] In the past they used to tell girls, "Open your eyes. You enter a marriage with the bridal gown and you leave with the white shroud (*kafan* – the white fabric wrapped around the person after they die)."

Jaheeziyeh (preparing for the wedding)

Now the two families start to get ready for the wedding. One of the most important things for the bride's family to do is to prepare the *jaheeziyeh*. In the past, it was the custom for the bride to take whatever was needed for starting a new life with her to the groom's house. These included the following: furniture, bedding, carpets, dining service, cooking utensils, clothing for the bride, sewing tools, thread and other household necessities.

---

[17] In the book *Woman in Ancient Iran*, by Hedayatolah Alavi, divorce is discussed as a permissible action. According to the above mentioned book, *mahr* (*mahriyeh*) and something similar to *shirbaha* were discussed during the process of *khâstegâri*. However, the conditions for divorce were so difficult that probably, in actuality, the issue was not even considered. During recent times (Pahlavi era), by the order of a judge of a special family court, divorce was possible.

Bedding and furniture, at the time, was not made of beds and tables and chairs. The floor was carpeted with handmade Persian carpets. The carpets usually covered the whole floor. Around the room they would put many sitting and back pillows *mokhaddeh* which provided the place for sitting, leaning and resting. The bedding, which consisted of foldable mattresses as well as blankets, sheets and pillows, would be opened every night and folded again every morning. The sheets and the pillows had embroidery or needlework on them.

For eating, a dining cloth was used on the floor (in place of a dining table). They used to have a few sets of dining cloths with embroidery or needlework, usually all done by the bride – the more, the better. Before entering any room, they used to take their shoes off to make sure the floors were kept clean. There always was a container of water and a bowl for washing the hands. These were made of bronze or copper and engraved with beautiful designs. When there were any guests, the set was taken to them to wash their hands and dry with towels.

The dining service included a set of china dinnerware and a complete tea set including a *samovar* (a special water boiling apparatus-urn), a teapot, glasses, cups and saucers. Another beautiful and expensive item was a carafe made of special white and colored flowered crystal which was imported from China and passed from generation to generation.

Cooking utensils included different size copper pots, bowls, strainers, pans, kabob skewers, a few aprons and pot holders as well as rolling pins for making bread or string pasta called *reshteh*.

Outfits

In the past, the white wedding gown was not yet the usual fashion. Other colorful outfits were used. I remember my mother gave me an antique outfit that was called *tír-tír*. From top to bottom, there were parallel strips of red, green and blue velvet attached to each other and bordered by *yaragh* which was a ribbon-like edging material containing gold and silver strings. There was a head covering made of very beautiful velvet imported from China. It was wrapped around the face and draped across the back of the shoulders, so long in length as to reach all the way down to the feet. Another small head cover or small cap was worn with gold coins around the edge and was tied under the chin to attach and hold the previous piece on the head. This cap was usually transferred from generation to generation. Also worn was a very wide pair of pants which was made of an expensive fabric called *termeh*, and another very beautiful short jacket embroidered with gold, usually made of green or red velvet with buttons of big gold coins and the expensive silver and gold edgings.

Then the bride and groom, along with two people from each side, would choose the fabrics for the wedding gown and the groom's suit and deliver it to the tailors. A few days before the wedding they would carry the *jaheeziyeh* – all that was prepared from the bride's side to the groom's house.

Items like a few lengths of delicate fabric in velvet, gold embroidery or *termeh* and different clothing items were placed inside a chest covered by velvet with ornaments.

Finally, the father of the groom would inform the father of the bride that they are ready. Together, with the bride and the groom, they would decide on the date of the wedding.

In the old days, a caravan of horses or mules, and later horse-drawn carriages, were used to carry all that was prepared to the groom's house with complete fanfare.

Hanâ-bandân (applying henna)

Hanâ-bandân occurs the day before the wedding. Henna, a powder that is made into a paste, was placed on the fingernails and toenails and hair and would give them a reddish color. A few of the female members of the two sides would participate and then they would go to a public bath. The day was a happy joyful day.

Sâghdoosh (best man)

Usually during the whole process, an older brother or an experienced close relative or friend would accompany the groom. He was called *sâghdoosh*.

Gavâh-giri va aroosi or Aghd va aroosi (the wedding day)

If the house of the groom's family was large, the ceremony would be held there. If not, then the house of one of the groom's relatives was used. They would employ a cook who prepared the meal, the bread and sweets and roasted a sheep.

On the wedding day, before lunchtime, a few of the young ladies on the groom's side would bring the wedding gown to the bride's house. They would also bring a separate tray containing makeup, undergarments, shoes, purses, stockings, gold and silver coins and *âvishen* flowers covered with green silk. They would have lunch there. Then in the afternoon, the time was spent putting the bride's makeup on and getting her dressed and ready for being taken to the groom's house.

At the same time, the brothers, uncles or other male relatives of the bride would go and take a tray containing shirts, gold cuff links, shoes, socks a wallet containing gold and silver coins and a bone-handled knife (imported from India) and some *âvishen* flowers to the groom. This was without much fanfare. A lot of sugar loaves were exchanged between the people.

Gavâh-giri setting

On the *gavâh-giri* table, all the traditional objects for *gavâh-giri* are placed. They include a mirror, a *lâleh* or candelabra, a container full of rosewater, a large container of *noghl* as well as a tray of dried fruit (almonds, pistachios, walnuts and raisins) and *nabât* (rock candy), as well as all the official documents of the wedding. Also placed on the table is a sugar loaf which is wrapped in green and yellow paper, a vase full of flowers, a small container of rice and *âvishen* flowers.

On a piece of green silk fabric is the book of *Avestâ* (the Zoroastrian religious book) as well as *koshti* and *sedreh*. *Koshti* is a cord woven with twelve threads which is used as a belt over *sedreh*. *Sedreh* is a light cotton, white, loose shirt that is worn over the outfit. Somewhere around the age of twelve,[18] all Zoroastrian children, in a specific and very important traditional religious ritual, put on the *sedreh* and

---

[18] The age mentioned here is somewhat different than the age mentioned in the other sources used for the last chapter of this book. Local differences may explain the variation.

koshti. This means that officially they become a Zoroastrian. After that, on many important occasions, this is used again.

At the time of my grandmother, in the city of Yazd, the same outfits and items that I previously mentioned were worn by the bride. Then a large, long white cashmere shawl (imported from India) was placed on her shoulders. In the planning of her transportation, if the groom's house was far, she would sit on a horse. If it was close by, she would walk. All along, the expressions of happiness, playing *dâyereh* (tambourines) and dancing were surrounding the process. Later on, especially in Tehran, a white wedding gown and white lace and white flowers were used and a horse-drawn carriage took the bride to the groom's house. In any case, the bride and her family would wait for the groom's relatives to arrive to take her and her relatives to the groom's house.

From the groom's side, the female relatives would arrive with a few horse-drawn carriages. The first carriage was decorated with flowers. The bride's brother would hold a lighted candelabra or *lâleh* in front of the bride as she stepped into the carriage and then the sisters of the bride and the groom would get on the first carriage. The second carriage would carry the mother of the bride, with a mirror and a rosewater container, as well as a few of the close relatives. The rest of the people would get on the following horse-drawn carriages, all to arrive at the groom's house. Once there, the bride's brother would enter holding the lighted candelabra or *lâleh*. When the bride enters, the groom's mother, who has been waiting along with the others with a brazier of lighted charcoal with the smoke of wild rue and frankincense goes forward and showers the bride with silver coins mixed with *âvishen* flowers. Everyone all around, with a lot of noise, expressing happiness, gathers the coins. Then the groom's mother gives a jeweled ring or necklace or other things to the bride. This is called *pâ andâz* (thrown at the feet). The bride is taken to a special place next to the groom. The bride's mother places the mirror and rosewater container on a table in front of the bride and the groom.

Gavâh-giri (wedding ceremony, also known as aghd)

The bride, the groom and the witnesses sit on one side of the table. The *moobad* (priest) is in his white gown carrying the special book for the witnessing process. He comes and sits opposite the bride and the groom, recites the special prayer and gets the agreement of the groom and the bride. Others applaud and expressions of happiness are given. Then the priest gives special advice and exhortations in Persian or Dari (ancient Persian) language. He reminds them to do good things in their lives, to be helpful, to keep the goodness of thinking, speaking and behavior in mind and to respect the four elements of nature which include water, air, earth and fire. Then he asks the groom who his advisor or mentor is. He responds that it is his father - if the father is not alive, then an older brother or family elder. Then he says to choose one of the days of the month for remembering to do good deeds - helping the needy, remembering his religion and performing religious ceremonies. In the Zoroastrian religion, the days of the month are named after different *emshâsfandân* (angels) or *izadân*. The groom chooses one. The priest recites some more prayers of *Avestâ*. During this process, everybody is completely silent. When he finishes, they applaud. The priest opens the special book for officially recording the marriage and gets the bride's and groom's signatures. Seven people present at the ceremony sign as witnesses. The priest's work is done. The bride's mother offers a sugar loaf and green leaves to the priest. The bride's sister offers rosewater and *noghl* to the guests. The bride and the groom offer each other pomegranate and green leaves. Then the reception starts.[19]

---

[19] For the last few hundred years, up to the Pahlavi dynasty era, due to social limitations, the Zoroastrian weddings were performed in a low-key manner. From the beginning of the Pahlavi era, when the limitations were reduced to a large extent, *gavâh giri* ceremonies were performed in Zoroastrian temple halls. On the day of the wedding, the groom and his close friends and relatives go to the bride's home. There they join the bride, her close friends and relatives. Then all together go to the Zoroastrian temple. The *gavâh giri* ceremony performed in one of the halls next to the main temple. After the ceremony, the *moobad* takes the hands of the bride and the groom and walks with them around the sacred fire and recites *Âvesta*. Then they all leave to go to the house to the groom's family or special halls for reception celebration.

Jashn-e-aroosi (the reception)

The celebration of *aroosi* is held in the groom's family house. If their house is not big enough, the house of a relative (or these days wedding halls) is used. [20]

They employ special chefs for cooking pastries, bread and the meal, they roast a lamb and they make different food. The reception continues with sweet drinks, pastries, a full course dinner, music, singing and dancing up to the late hours of the night. Then most of the guests leave and only a few close relatives and friends remain.

Hejleh

The bride is taken to *hejleh*. *Hejleh* is a bedroom that is prepared ahead of time. As the bride and groom are entering the *hejleh*, the groom's mother gives a few gifts to the bride including a bracelet or a jeweled ring. This gift is called *roo-nama* (showing the face). The bride and the groom offer each other sweets. Other people express happiness and leave

---

[20] In October 2003 and February 2004, I attended the weddings of two of the grandsons of Mrs. Gowhar Namdaran, the writer of this chapter. The first wedding was performed in a gorgeous vineyard in Sonoma and the second one took place in the beautiful city of Santa Barbara. The moobad in his white outfit performed the traditional Zoroastrian ceremony. In one of the weddings, the groom's uncle simultaneously explained the traditions for the guests. The rituals, statements and recitations were all the same as you have read in this book. Of course, the colors and essence of the present time had been added.

the room. The couple spends their first night together in *hejleh* as husband and wife.

Pâtakhti

Pâtakhti is the day after the wedding. On this day, in the afternoon, the parents, siblings, relatives and others bring gifts. The reception starts in the afternoon and later dinner is served. On the morning of this day the groom, with a male member of the family, goes to the house of the bride's father. The purpose is for "kissing the hands of the mother of the bride," indicating gratitude for having such a good daughter.[21] The mother of the bride kisses the face of the groom and gives him a gift of a gold or silver coin. He stays there for the rest of the day. Before sunset, the *moobad* (priest) comes and takes the groom to the edge of a running stream and recites some parts of the *Avestâ* and then takes him where all the guests of the *pâtakhti* day have gathered.

The mother of the bride showers the groom with a mixture of *âvishen* flowers and silver coins as well as gifts like a gold watch or length of fabric for a suit. All of this is given

---

[21] *Shirbaha*: As a symbol of appreciation for the bride's mother's hard work of motherhood, on this day, the groom inserts 33 silver coins into a pomegranate, and along with a sugar loaf and *avishen* flowers, presents it to the bride's mother. This is called *shirbaha* or the value of milk. The bride's sisters also receive some gifts.

along with expressions of happiness – just the same as when the bride entered the groom's house. Children collect the showered silver coins. It takes a while until the groom enters and sits next to the bride. Giving gifts then continues. The bride's family starts first. The bride's mother kisses the couple and gives them flowers and pomegranate and jewelry that includes a necklace and bracelet made of small, delicate gold coins. (It should be mentioned that in the past, gold and silver coins were the usual currency).

The father of the bride would give the deed of trust of a house or a parcel of land, or cash, or a carpet, or silver sets for tea and for *sharbat* (sweet drinks) and sweet dishes. The same is true for the father of the groom.

It should be mentioned that the financial wealth of the families was usually at about the same level. It was not a matter of competition. The gifts were based upon their capability and it would essentially become a reasonably balanced arrangement.

The other guests also would give some gifts – usually what was needed to start a life. Applauding and expressions of happiness, playing the tambourine and singing would continue. Anybody with any talent would participate. Dinner would then be served followed by sweet drinks and pastries.

The day of Reshteh Borân

About one week or more after the wedding, a day is chosen for cutting strings of *reshteh* (pasta) and making *âsh* in the house of the couple. Of course, all the necessary tools have been included in the bride's *jaheeziyeh*. These include a large copper tray for making the dough, a rolling pin for flattening the dough and the knife for cutting the strings of dough. Most of the relatives are invited. The legumes include peas, beans and lentils, plenty of vegetables, chopped beetroot and onions all prepared one day ahead of time. The only thing left is to make or cut the strings of *reshteh*. Everybody gathers, including the bride and the groom. The groom has to make the dough. He pours the flour, and adds water and salt. He pulls his sleeves up and makes the dough. The bride's mother showers him with *âvishen* and gives him a gift of a gold coin or some fabric. The bride is the one who takes the dough, flattens it and cuts the strings. The groom's mother gives some gifts to the bride. They cook the *âsh* which is a thick soup made of the above mentioned ingredients. The day is celebrated as the beginning of the new happy and prosperous life of the couple. The bride and the groom continue their life together.

Chronology of the Persian Wedding:
The Zoroastrian Wedding in Recent Past

➢ Interest by groom or interest by groom's family
➢ Expressions of intentions to bride's family
➢ Bride's family investigates
➢ If negative, it stops
➢ If positive, informing the groom's family
➢ Introductory gathering of the two families
➢ *Gol o Nâr* or *Baleh-borân* groom's family's visit to the bride's family
➢ Engagement shopping, *khoncheh* to bride's family's house
➢ *Nâmzadi, shirini-khorân* engagement ceremonies in bride's family's house
➢ A visit by the bride's family to the groom's family (without the bride)
➢ Visit by the groom's family to the bride's family *pâgoshâ*
➢ Now, socializing of the bride and groom is okay
➢ Engagement period, preparing *jaheeziyeh* by bride's family
➢ *Jahâz bordan* (carrying *jaheeziyeh* to the groom's family's house
➢ *Hanâ-bandân* (day before wedding)
➢ *Aroos bordan* (taking the bride to the groom's family's house and P*â*-andaz
➢ *Gavâh-giri va aroosi* or *Aghd va Aroosi* (wedding and reception)
➢ *Hejleh* (wedding night)
➢ *Pâtakhti* (the day after wedding)
➢ *Reshteh-boran* (one week after wedding)

Chapter Three

The Persian Wedding:
Some Generalities in Recent Past

ovissi

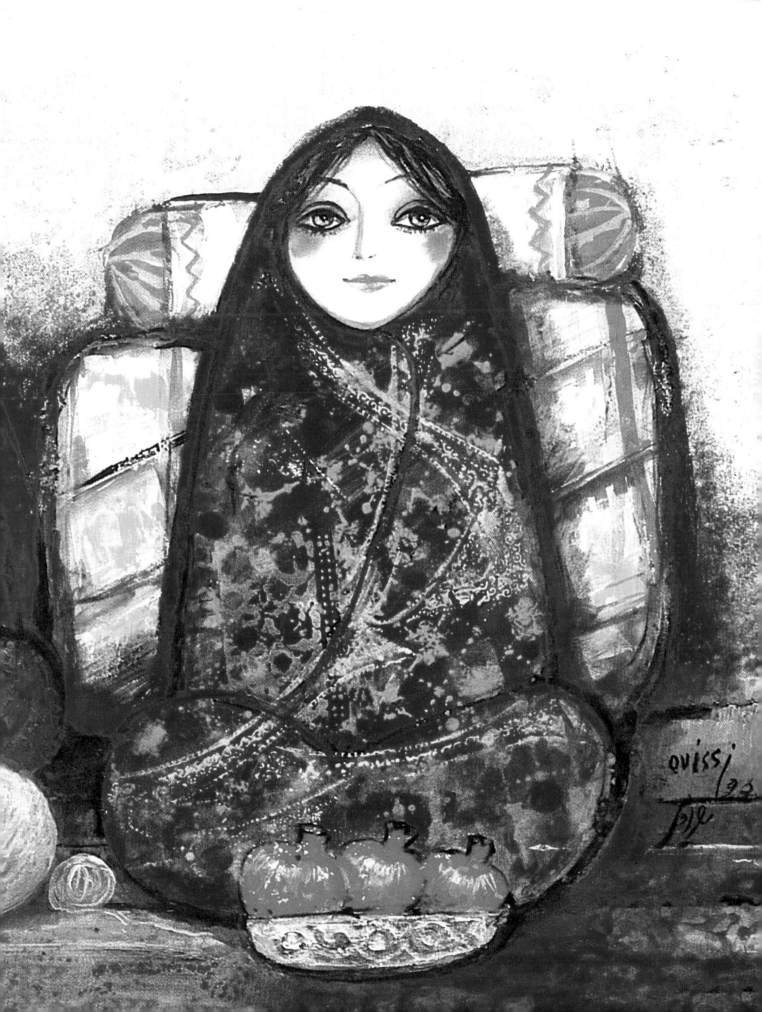

Painting:
Nasser Ovissi, from the book *Ovissi, Sufi Art*
(Partial print, page 48 of the book)

The Persian Wedding: Some Generalities in Recent Past

In this chapter, Persian weddings between Moslems – who are the majority – are described. It covers the recent centuries, until about 80 to 100 years ago, when gradually weddings became more modern. You will see that it is only the details which have taken a new shape. Weddings of the ancient era will be covered in chapter four.

During the reign of Reza Shah (1925-1941), as one of the steps in modernization or westernization of Persian society, women were advised to unveil. Prior to that, with the presence of the veil, in theory, it was impossible to see women until one was married. But even then, during the brief occasions of fixing the veil on their head, men would get a chance to see something of what was covered under the veil. Persian girls and young ladies had developed an art of creating such brief moments. Of course, if the two families were friends or relatives, the chances for such brief looks were much more than if they were strangers.

In the case where the families were not friends or relatives, they had to go to people who acted as a source of information. These were women who, because of the nature of their jobs, had the best opportunity to observe the girls. Women who worked in public baths were in an ideal place to gather the detailed information, not only in regards to physical appearance, but also about the behavior of the girl.[22]

Of course, for a good price, this information would be available to eager families who were looking for a proper girl for their sons who were ready to get married.

In addition to public baths, public religious ceremonies, markets and socializing between families would provide an opportunity to get some information about the girl. In reality, an actual setting for getting to see or know each other was non-existent.

It also seems that in a process where love and goodwill should be the prevailing atmosphere, many of the rituals, especially the direct interference and attitude of the close female relatives of the groom, were not so kind, fair and dignified.

Since this book does not have any claim to historical completeness, I have tried to reflect only the positive aspects of the tradition. The book *Old Tehran* by Jaafar Shahri, mentioned in the bibliography, has detailed many of the social behaviors of the time. It is with great admiration and gratitude that I have translated and used some parts of his book.

---

[22] Jaafar Shahri, *Old Tehran* (Moin Publications, 2002) pg. 41.

I also have to mention that in this chapter, the parts of the tradition that were very similar to present day customs are only briefly mentioned. Nonetheless, whenever the detailed descriptions help to make the writing more visual, the translation is more complete.

Khâstegâri (asking for her)

In the stage of *khâstegâri*, generally the young man's family would ask the permission of the girl's family to come to their home, but it was not always possible to do so. It was not yet the era of communications and phones were not available. If the bride's family was informed ahead of time, as the groom's family entered the house of the potential bride's family they would recite poetry. "Guests have arrived and with them brought blessings of abundance." The response would be, "The breeze is blowing, it is bringing flowers." Then the girl would come in with the tray of tea which would give the groom's family a chance to evaluate her.[23]

If it was an unannounced visit, they would knock on the door and ask for a glass of water. While drinking the water at the door they would say, "They have told us that there is a girl in this house." If the bride's family was not agreeable, the answer would be, "No, we don't have a girl," or "You are misinformed" or "She is too young" or "She is already

---

[23] Shahri, *Old Tehran*, pg. 45.

engaged" or "Previous arrangements have been made" and so on.[24]

Baleh borân (negotiations)

After the *khâstegâri*, financial negotiations would occur, but it would not start abruptly. They talked about different things and then they would say, "All things aside, the talk of friends is sweeter," and then would dive into the negotiations. Especially when they wanted to talk about *mahriyeh* they would say, "Nobody has paid, nobody has received *mahriyeh*, but...." About *shirbahâ* they would say, "The whole world cannot compensate for one sleepless night of the mother but...." Sometimes these negotiations would not come to a positive conclusion and both sides would feel bitter about it. The groom's side would say, "We came to carry a girl, we did not come to buy one." The bride's side would say, "They want a jewel, they want top grade, but they don't want to pay." Then, either somebody would pick up and fix the disagreements or the whole deal was lost.[25]

What was mentioned above was an example of the statements and the rituals of the time.

I should mention that there is an interesting superstition called *shogoon* which means omen. From the moment that the first steps were taken to ask for the girl, any good or bad happening

---

[24] Shahri, *Old Tehran*, pg. 46.
[25] Shahri, *Old Tehran*, pg. 62.

would be looked upon as a good or bad omen. If the shoes they bought fit well, it was a good omen and vice versa. If a mirror broke, bad days were ahead. If somebody amongst the relatives died – even if the deceased was a very old person – everybody would express the worries that this wedding was doomed.[26] People went too far with these superstitions.

In any case, the negotiations would finally end with engagement, which was not that different from what was mentioned in the previous chapters.

Jaheeziyeh (the dowry)

After the engagement the two sides would be very busy preparing for what needed to be done. For *jaheeziyeh*, if it was not already prepared or completed, during the stage between *baleh-borân* and the actual wedding, the bride's family home would be full of close relatives helping to prepare everything. Somebody would be busily sewing, somebody else checking the tea set or the china, and another person getting the kitchen items together.

The bride's side was always very generous in preparing for *jaheeziyeh*, as though it could never be enough. It was the prestige of the family which was at stake.[27]

---

[26] Shahri, *Old Tehran*, pg. 73.
[27] Shahri, *Old Tehran*, pg. 68.

Getting ready

The physical preparation of the bride would take place in different stages:

Band andâzân (hair removal)

A couple of days prior to the wedding, in the presence of some of the bride's friends and family members, the bride would sit facing the direction of Mecca. The groom's mother would give her a gold coin and would remove one hair of the eyebrow of the bride. This was issuing permission for the whole process.[28] The gold coin was then to be given to the beautician who was a specialist in facial hair removal. She would use a twisted, delicate string to remove the hair. Of course, there was some pain involved. They used to say, "Kill me, but make me pretty."[29]

Hammâm-e-aghd (the public bath ceremony)

The public bath was reserved for the wedding entourage. Fruit, sweets, *sharbat* (sweet drinks), *doogh* (a drink made with yogurt), boiled eggs, *shami* (a potato dish) and *koofteh* (a meat and vegetable dish) were served. Sometimes a band for music was also present. The workers usually got a good tip on that day.[30]

---

[28] It was not customary for girls to remove any hair prior to marriage, so this was held as a sort of rite of passage.

[29] Shahri, *Old Tehran*, pg. 79.

[30] Shahri, *Old Tehran*, pg. 91.

Bazak-e-aroos (the bride's makeup)

The white bridal gown was not yet the usual outfit. A velvet shirt and skirt, and long wide pants with ornamentation – sequins, beads etc. – in red, maroon, purple or pink colors and a wide sheer white headcover was used. It was also usual to curl the hair and apply special eye makeup. *Sefidab* was used to lighten the skin of the face and neck, and *sorkhab* was used to make the cheeks rosy and the lips red.[31]

The emotional preparation of the bride and the groom was achieved by talking to them separately about what was coming and what was expected of them. The talking was done by the people who had the experience already and usually were closer in age to the bride, rather than older advisors.

Aghd (the ceremony, exchange of vows)

The *aghd* caravan (not to be mistaken with the *jaheeziyeh* caravan), prepared by the groom's family and sent to the bride's family home on the day before the *aghd*, included a mirror and candelabra or *lâleh*, different trays containing the bride's outfits, *noghl*, *nabât*, *esfand* and sugar loaves, etc. There were large trays full of sweets.[32] Fruit trays had been stacked high. Other trays carried special glass containers, large containers of sweet drinks huge containers of dry tea,

---

[31] Shahri, *Old Tehran*, pg. 91.
[32] For a description of these items, please see chapter one or the glossary.

bags of henna, soap and rosewater. Lamps with ornamental metal or marble bases were fastened to other trays. There were trays holding potted plants and vases full of flowers, and trays full of velvet or *termeh* and other fabrics. The *esfand* tray was arranged in different designs with glitter and indigo blue, and with calligraphy writings offering congratulations and good wishes. On a long flat loaf of *sangak* bread, more good wishes were written.

The tray of the bride's clothing included dresses, skirts, pants, chadors, shoes, slippers and makeup in an ornamental box.

All of these items were prepared by the groom's side and transferred to the bride's family home by a procession of people carrying the trays on their heads.

Of course, this was different from *jahâz-barân* in which the *jaheeziyeh*, prepared by the bride's side, was transferred to the groom's house. Note that the *aghd* setting included mainly symbolic items, while *jaheeziyeh* are functional items for everyday use in the daily life of the couple. These occasions were all opportunities for the people to stand in the streets and watch the procession, offer good wishes and to some extent, judge the completeness of it.

Khotbeh-e-aghd

Finally the time for the *aghd* ceremony would arrive. The bride would enter the room and sit on the lower border of the *aghd* setting. The religious official, after obtaining legal authority from the groom and permission from his father, would be seated behind the door of the room. No man, including the groom, was permitted to enter the *aghd* room. The official would advise everybody to be silent. Then he would recite some phrases in Arabic, stating that the prophet has said that marriage is a necessary deed for men and women, that marriage keeps evil temptations away. God has created good men for good women so that they enjoy each other. Angels in the sky will pray for them....Then he would recite the terms of the agreement about the amount of *mahriyeh* and *shirbahâ*, jewels or anything else.

Then he would ask the bride if she would agree to accept the above-mentioned items as well as a copy of the *Qorân* and become married to the groom. The bride would remain silent. The question would be repeated two more times. When asked for the third time, she would finally and very quietly answer "yes." The official would hardly hear her answer but others would say that she said "yes." Ladies would clap and do "li li, li li" sound and sing happy congratulatory songs.[33]

Jashn-e-aroosi (the reception)

Jashn-e-aroosi has always been a grand celebration. Even for people of limited economic ability, they would do their best to

---

[33] Shahri, *Old Tehran*, pg. 97.

make it memorable. Of course the level of wealth would influence the extent of the festivities. Before tables and chairs had become the norm, people used to sit on the floor on cushions. If the celebration was held in the yard of the house, the yard would be carpeted with multiple Persian carpets from corner to corner. Cushions were placed under and behind the guests. The fruit and sweets were served, placed on dishes in front of them.

The yard would be decorated with many lights and lamps and with an abundance of cut flowers and potted plants. There would be some carpets hanging on the walls as well as portraits and pictures. Large candles were placed in heavy candleholders, other chandeliers were hanging from chains which were attached to walls on opposite sides of the yard, and even more chandeliers were standing chandeliers which were placed at the corners of a small pool or other corners of the yard. Some lanterns were hanging in between. The same kinds of light were used inside the house. All in all, a special atmosphere was created for this grand celebration.[34]

They used to make a special arch for the groom and the *sâghdoosh* (best man) decorated with lights and *lâlehs*, potted orange trees and colorful lanterns. Underneath the arch, the groom would sit on a cushion which was placed on a bench. The charcoal container used to burn *esfand* was placed near the groom, the scent filling the house.

---

[34] Shahri, *Old Tehran*, pg. 131.

Tea and cold sweet drinks were regularly served to all. Water pipes were also offered to the guests. If it was the rainy or cold season, and the house was not large enough, a very large tent would be raised in the yard. Multiple large charcoal heaters were used for warmth. Instead of cold sweet drinks, warm milk would be offered until the dinner was served.

When chairs and tables, as a sign of modern times, entered Iran, some people felt that if they sat on a chair, it was like claiming a special status. So to prove their humbleness, they would ignore the chairs and sit on the floor in front of them.

At about the same time, more modern kerosene pressure lanterns and lamps were being imported from Russia or Holland and were used for lighting. Though ornamentally decorated, their constant bee-like sound to some extent disturbed the romantic mood of the old days. Then suddenly electricity came and caused the abandonment of all the lighting that was previously used. Yet it was only the source of light that changed. *Lâlehs* and chandeliers remained the same, powered now by electricity.[35]

Aroos barân

Finally the time would come to transfer the bride to the groom's house. This ritual was called *aroos barân*.

---

[35] Shahri, *Old Tehran*, pg. 75.

On the wedding night, the guests would arrive at the reception and be received with food and music or religious singing and be entertained for a couple of hours. Then a group of close relatives of the groom and a couple of elders would leave the groom's house with the mirror and *lâlehs* and torches and go to the bride's house. There they were received with sweets and sweet drinks. Then they would present the official declaration of *aghd* along with a length of fabric to the mother of the bride.

The bride was delivered to the group who had come to pick her up. At this time, a tearful emotional scene would occur due to the separation of the daughter from the family. Finally she would pass under the religious book and with many wishes of good luck would leave along with the group, going towards the groom's family house, surrounded by many ladies to protect her from the eyes of those who were not supposed to see her.

Since the distance to the groom's house was usually short, the transfer was done by walking along with torches, hearing the recitation of bystanders. If the houses were far apart, then carriages or horses were used. The burning of *esfand* continued all along the way. She would finally reach the home of the groom and join in the festivities.[36]

---

[36] It should be mentioned that during two months of the year, the religious mourning months of the Islamic calendar *Moharram* and *Safar*, marriage amongst Moslems was not permitted. The custom is still followed today.

Pâtakhti (the day after)

Pâtakhti was to a large extent similar to the present day rituals. Since it has been described in the previous chapters, and to avoid lengthening the subject, it will not be repeated here.

Chapter Four

The Persian Wedding:
In Ancient Iran

Painting:
Nasser Ovissi, from the book *Ovissi, Sufi Art*
(Partial print, page 16 of the book)

The Persian Wedding: In Ancient Iran

In this chapter, the wedding ceremony in ancient Iran will be reviewed. *Avestâ* – the Zoroastrian religious book – is silent about the rituals, so only some points could be found directly mentioning the ceremony. However, more information is available from the groups of Persians who left Iran as a result of the attack of Arabs. They went to India or other faraway lands. Specifically, those who went to small villages away from any communication with Persian Zoroastrians of Iran or Parsis of India continued the tradition in an intact way. The proof of the tradition remaining intact is the similarity of their present day rituals with the present day Zoroastrians in Iran, despite the lack of communication with each other. It is with the parallel review of their tradition that we can say that in all likelihood, the ancient rituals were not much different from today's rituals.

In preparing this chapter, the main sources were the book *The Iranian Family Prior to the Islamic Era* by Professor Ali Akbar Mazaheri, translated from French into Persian by Abdollah Tavakol, and also *The Woman in Ancient Iran* by Hedayatollah Alavi. Both of these books cover a lot of issues, and I have used only that which was directly related to the subject of this book, and as I have said, with a very free style of translation. For those who can read Persian or French, I sincerely recommend reading these books.

Status of Women

To begin with, it should be mentioned that women in ancient Iran, especially according to Zoroastrianism, were held in high regard. Their title of *kadak-bânug* (*kad-bânu*), the ruler/keeper of the house, indicates that fact. The gentleness of Zoroastrianism was one of the reasons that a sense of balance was created in the family environment.[37] The number of women who shared the responsibility of ruling the country or who became the sole ruler of the country was considerable.[38]

Equality of Women and Men

There are many points written to indicate the equality of the rights of women with men. In the *Avestâ*, a woman is always mentioned at the same level as a man. There is no difference in the prayers performed between men and women. Women could become judges. Women even became ruling queens. We also know that the age of maturity was the same for men and women. Amongst the saints and angels, some are men and

---

[37] Hedayatollah Alavi, *Woman in Ancient Iran* (Hirmand Publications, 1998) pg. 72.
[38] Aliakbar Mazaheri, *Iranian Family Prior to the Islamic Era* (Ghatreh Publications, 1998) pg. 15. This book was translated into Persian by Abdollah Tavakol.

some are women. Whatever is seen in the *Avestâ* indicates the equality of men and women.[39]

I do understand that what is advised by an original religious leader may change over time by the generations of interpreters of that religion for social, political or selfish reasons. It seems that despite the gentleness and the message of equality of Zoroastrianism, at least in some areas, the message was not followed as well as it could have been.

Significance of Marriage

Marriage in and of itself, not only for the purpose of procreation, was held in high esteem. The ancient society of Iran advised all its members to marry. In the Sasanid era, not getting married was the equivalent of ignoring the law of the land. The kings, as the representatives of Ahooramazda (the creator) on earth, looked upon marriage as a very important social duty. It was to the level that King Khosrow Anooshirvan provided *jaheeziyeh* (dowry) for the girls who may not have had enough wealth to do it for themselves.[40]

Marriage was a duty. Nobody would be forgiven from such a great duty.[41]

---

[39] Alavi, *Woman in Ancient Iran*, pg. 72.
[40] Mazaheri, *Iranian Family Prior to the Islamic Era*, pg. 40.
[41] Alavi, *Woman in Ancient Iran*, pg. 35.

They considered marriage to be above the issue of procreation. It was the height of spiritual achievement. It was a step towards the final victory of Ahooramazda, the creator, the good against evil. It was considered to be the contract of the soul to reach the highest level of unity and understanding. They would remain forever for each other. It was the highest and most valuable form of human bonding.[42]

The Choice

Although it is possible that even in ancient Iran, the level of interference of the parents in choosing the mate of their son or daughter exceeded the level of rational consultation, at least the basic teaching of the religion did not prescribe that. In ancient Iran, a girl rarely would make the decision all by herself. In other words, she usually would consult with someone. Granted, in order for a marriage to be legal, the approval of the elders was necessary. Still, what she wanted from them was not their will but their acceptance.[43]

It has been mentioned that the girl could ignore the permission, suggestion or approval of her parents. Such a girl would be a *khod-sardâr* or *khod-sâlâr* (independent) girl, and no punishment was recommended, not even any effect on her inheritance. Yet the young were persistently advised not to fight with their parents, and the parents were consistently

---

[42] Mazaheri, *Iranian Family Prior to the Islamic Era*, pg. 115.
[43] Mazaheri, *Iranian Family Prior to the Islamic Era*, pg. 50.

advised not to ignore the desires of their daughters and sons by the social leaders.[44]

The Advice

The general philosophy and advice in regards to choosing a wife or husband indicates such an interesting point. It seems as though it is not from so many centuries ago, but pertains to present day life. It seems like the parents are advising their young today:

"A [Zoroastrian] girl should choose what kind of man? What should be the characteristics of the man? It does not matter if he is from a powerful family, and it does not matter if he is rich or a handsome prince. He should be smart, kind and skillful in his craft. Adurbad, the great adviser, says that if he is such a man, accept him. Don't worry about his lack of wealth."[45]

And what advice is given to men in regards to choosing a woman?

"Choose a woman that has good talents. Such a woman will bring you prosperity, and will be respected by all."[46]

Sometimes I am amazed by the wisdom and insight of my ancestors. In the marriage of the daughter of Zoroaster,

---

[44] Mazaheri, *Iranian Family Prior to the Islamic Era*, pg. 52.

[45] Mazaheri, *Iranian Family Prior to the Islamic Era*, pg. 52.

[46] Mazaheri, *Iranian Family Prior to the Islamic Era*, pg. 49.

mentioned in *Gathas*[47] which is a reliable and dependable historical document, the prophet tells his daughter, "Think about the man you are going to marry, consult with yourself, pray [and let me know]." The daughter answers that she loves him and will be loyal to him and to all her ancestors.

Hear Zoroaster advising all:

"All you women and men
who will be wed
now hear my advice
remember it
take it to your hearts
focus on life
always good
be better than all
think well
talk well
and behave well
your life will be
happier...."[48]

---

[47] Gathas: The Zoroastrian holy book is called the Avestâ, this includes the original words of the founder Zarathushtra, preserved in a series of five hymns, called the *Gathas*.
[48] Liberal translation of Yasna 53.5 from the ancient Zoroastrian text. There may be much better and more accurate translations of Zoroastrian statements. The purpose here is to transfer the idea.

The Antiquity of the Tradition

In the previous chapters of this book, the precedence and antiquity of the rituals of *khâstegâri* (asking for her), *nâmzadi* (engagement), *peyman-e-zanashooee* (the wedding ceremony) and *jashn-e-aroosi* (the wedding reception) have been mentioned. There is evidence that these rituals date farther back than the Sasanid era into a more ancient history of Iran including the Parthia and Achaemenian periods. That translates into roughly 2,500 years ago. "These traditions, which have continued for 25 centuries, are still respected and, with a lot of spirituality, are followed today."[49]

Amongst Zoroastrians who left Iran about 1300 years ago and settled in India, these rituals are still performed today in the same language as the language of Persians of that era. That means that for over 13 centuries, they have kept the same recitations in the original language.[50]

There was a group of Persians who left Iran around the 8th century A.D. and settled in areas that have been proven not to have had any contact with any part of the world, including their motherland, up until the 16th century A. D. So their rituals must have been as original as when they left. The language remained the same. In some faraway valleys, the rituals seemed to be exactly the same as the Parsis of Gojrat, India. So it should not be strange that these rituals have

---

[49] Mazaheri, *Iranian Family Prior to the Islamic Era*, pg. 70.
[50] Mazaheri, *Iranian Family Prior to the Islamic Era*, pg. 69.

remained and continued unchanged, despite all the historical events and attacks.

The Age of Marriage

According to nearly all sources, the minimum age for marriage was 15 years old. Only one source indicates 14 years and 3 months because they counted the age from the moment of conception, not the moment of birth.[51]

It is at the age of 15 that maturity was acknowledged by the tradition of wearing "sedreh," the Zoroastrian sacred shirt and "koshti," the sacred belt. This is the age that boys and girls enter society. So according to the Avestâ, marriage prior to this age was not permitted. On the other hand, this was the minimum age, not the prescribed age. The usual advice was that they should still wait for a few years before considering marriage. Zoroaster himself was 20 years old when he got married.[52]

Amongst average Persians, we can be sure that if they were not rich, they had to work for a while before they could be ready to marry. If they were rich, based upon the special training that they had to receive, it would take them a few years before they were ready.[53]

---

[51] Alavi, *Woman in Ancient Iran*, pg. 52.
[52] Mazaheri, *Iranian Family Prior to the Islamic Era*, pg. 43.
[53] Mazaheri, *Iranian Family Prior to the Islamic Era*, pg. 44.

Since I have mentioned *sedreh* (the Zoroastrian sacred shirt) and *koshti* (the sacred belt) a few times in this book, I will include some information about these items.

Sedreh (Zoroastrian sacred shirt)

This ritual of wearing the sacred shirt is the equivalent of being confirmed in Christianity. It is a white shirt with short sleeves. The shirt extends to just below the hip. The V neckline, the pouches in front and back of the neckline, as well as the triangular and straight stitches in the lower part of the front of the shirt, all represent significant different principles of Zoroastrian ideology. The fabric is cotton or wool, but linen or silk may also be used.

The innovation of *sedreh* has been credited to Zoroaster but it may have had deeper roots. Wearing it is distinct evidence of being a Zoroastrian.[54]

Koshti (Zoroastrian sacred belt)

The belt is worn over the *sedreh*. This is a rope-like belt made of sheep's wool or camel's wool. It is wrapped around the

---

[54] Symbolic meaning of different parts of *sedreh*: white color means purity; being made of one fold of fabric – unity of people; front pouch - completed good deeds; back pouch – potential good deeds; triangular stitches in lower right front – the three dimensions of physical, spiritual and psychological world; straight stitches in lower left front – imperfection of the world; front of *sedreh* – the future; back of *sedreh* – the past; wearing of *sedreh* – the present. Source: www.zarathustra.org.

waist three times as a reminder of the three divine principles and tied twice in the back. It is extremely important for Zoroastrians. If it is lost, they cannot do anything until it is replaced. The weaving of this belt is done by the wife of the *moobad* (the religious leader). When the *moobad* ties the belt around the waist of the young person, a special prayer is recited.

The belt is made of 72 strings. The thickness of the belt may be different depending on where it is made. At each end of the belt there are three tassels representing the creations of Ahooramazda (the creator). It is said that the belt was first created by King Jamshid Jam. In stone images (petrographs) of the Achaemenians of about 2,500 years ago, the *koshti* can be seen.[55]

Now we will go back to the issue of marriage in ancient Iran. As mentioned before, these rituals have ancient roots that go back 25 centuries. Here is an interesting parallel comparison.

Shirini-khorân (eating sweets)

The custom of *shirini-khorân* as a prelude to *nâmzadi* (engagement) which is done in today's Iran does not indicate an official and complete guarantee of upcoming marriage, but is an unofficial expression of intention. Persians who have been separated from the motherland for over 13 centuries follow exactly the same tradition. In the foothills of Pamir and

---

[55] Mazaheri, *Iranian Family Prior to the Islamic Era*, pg. 210-212.

coasts of Zarafshan, in Tajikistan and in India, this ritual is performed with the same name and meaning. It is always associated with giving some gifts to the girl which is called *cheshm-rowshani*. It may be a gold bracelet or earring. The same ritual and the same word are used in today's Iran.

Shortly afterward, in another traditional gathering, they become *nâmzad* (engaged). The same exact word was used in the Sasanid era.[56]

Many of the rituals in the process of asking for the girl and then the period of engagement are similar in name and meaning between cities in the central parts of Iran (i.e. Yazd and Kerman) and the Pamir area despite over 13 centuries of separation and thousands of kilometers of distance.

Mahriyeh and Shirbahâ

In regards to the amount of *mahriyeh* (alimony) and *shirbahâ* (the value of milk), not much information is available. Some sources mention 2000 silver *derhams* and two gold *dinârs*. One can guess that it depended upon the financial capabilities of the two sides. There is evidence that indicates that at about the end of the Sasanid era, there was a governmental decree advising people to reduce the amount and take it easy on the young men who wanted to get married.[57]

---

[56] Mazaheri, *Iranian Family Prior to the Islamic Era*, pg. 57-58.
[57] Alavi, *Woman in Ancient Iran*, pg. 84-85.

Jaheeziyeh (dowry)

Although not many details have been mentioned about *jaheeziyeh*, there is some discussion about its relationship with the girl's inheritance from her family. It indicates that *jaheeziyeh* has always been a major undertaking. It seems that, at least in the beginning stages of this tradition, there was a very good reason for it being such a major preparation. According to this evidence, "after the girl's marriage and [her becoming a member of a different family] she would not be entitled to any inheritance form her original family. So all of that was compensated by giving her everything that she would need to start life with her husband."[58]

Today, even though the original reasoning is not in effect, and marriage does not have anything to do with the girl's perfect right to an inheritance from her family, the *jaheeziyeh* has continued to be as elaborate as ever.

The Stars

The issue of perfect timing for marriage according to the stars does not seem to be observed these days. "In ancient Iran, marriages were arranged according to the time when there was a balance between nights and days in the spring. The first day or the twentieth day of the month were considered the best days, although the tenth day was also a good day."[59]

---

[58] Alavi, *Woman in Ancient Iran*, pg. 55.
[59] Mazaheri, *Iranian Family Prior to the Islamic Era*, pg. 65.

Preparing the Bride

According to an ancient text referred to in various sources as *Vis-o-Râmin*, the preparation of the bride for the big day was elaborate. "The hair was done, they applied *moshg* and *anbar*, [natural perfumes] to hair, the cheeks were done, the eyes were made bigger using *sormeh* [a kind of eye makeup] and the eyebrows were shaped very artistically. Even amongst average people, a crown, which was the symbol of marriage, was placed on the bride's head. It contained flowers like violets, orange blossoms, jasmine and other white flowers...."[60]

The Ceremony

It should be mentioned that, although the basic principles and procedures remained almost the same, wherever different groups of Persians settled, they took some of the local flavors, colors and feelings and made it their own. The same is true in the Iran of today. In different areas they have their own characteristics and details.

In regards to the marriage ceremony, many of the rituals which are practiced today seem to be identical to those of ancient times as evidenced by the traditions of far away communities and places.

"They set the mirror with two glass jars on the sides. One candle is placed in each jar – one in the name of the bride and

---

[60] Mazaheri, *Iranian Family Prior to the Islamic Era*, pg. 61-62.

the other in the name of the groom. The flame of the candles represents the special respect and regard that Persians hold for the sacredness of fire. Throughout the ceremony, seven precious stones would be ground in a mortar. After the ceremony, the couple would drink a sip of seven different herbs. They would boil two eggs symbolizing future children...."[61]

Here is the report of one such wedding which was assumed to have been done in the tradition of ancient times.[62]

"Seven witnesses holding one lamp each entered. An elder was their guide. They surrounded the grandmother of the bride. The elder asked, 'Where is the bride?' The answer came that, 'She has gone to pick some flowers.' The questions were repeated seven times. Finally the girl appeared and said, 'I am here.' The elder asked if she agreed to be married to the groom. The girl answered, 'Yes.' The witnesses were asked if they heard the answer. They said yes. Then he asked who is the father of the bride and if he gave permission for the marriage. The agreement of the groom and his father was obviously obtained ahead of the ceremony. The ceremony continued....A green cloth was held over the bride and the groom. They brought in a burning charcoal container in which different aromatic herbs were burning. The elder gave the bride and the groom some advice in Dari. Then the ceremony was over. The bride and the groom sat next to each other."

---

[61] Alavi, *Woman in Ancient Iran*, pg. 86.
[62] This was printed in Rast-goftar, a Zoroastrian newspaper in 1894.

Dast be dast dadan (joining hands)

The ritual of *dast-be-dast dadan* (as was mentioned in chapter one) in present day Iran is done after *jashn-e-aroosi*, just prior to *hejleh*. Amongst Parsis, it is done during the ceremony. "[The elder] asks the couple, "you have agreed and promised to live with each other until the end of your lives and you have promised to do good deeds and live righteously?" They answer, "Yes." The elder puts the right hand of the bride into the right hand of the groom. They kiss each other and others pour gold and silver coins and sweets over them. It was customary at that moment for people to lift up their glasses of wine….."[63]

And finally it was time for *jashn-e-aroosi*.

Jashn-e-aroosi (wedding reception)

"…Almost everybody in the community was invited. It was against the honor and social etiquette of Persians not to invite everybody for such an important day. The doors of the house had to remain open, and whoever happened to pass by was also invited to come in…."[64]

We can only imagine the grandness of the celebration in which our ancestors were united.

---

[63] Mazaheri, *Iranian Family Prior to the Islamic Era*, pg. 66.
[64] Mazaheri, Iranian Family Prior to the Islamic Era, pg. 61.

Zoroastrian Vows

The reader of this book is certainly familiar with the vows of marriage in Christianity. The Islamic vows, recited by the religious authority, are also available very easily. However, the Zoroastrian vows are not easily available in English, so I will translate and quote it here. I came upon it in the book of Hedayatollah Alavi, *Woman in Ancient Iran* and he has quoted it from *The Social History of Iran*.

"May your happiness be ever increasing, may you always have glory and splendor, may you live happily, may you be prosperous, may you live with good thoughts, good words and good deeds, may you avoid bad thoughts, bad words and bad deeds, may the truth be everlasting, may evil be destroyed. Be faithful to Zoroastrianism, be kind to people, be prosperous through good deeds, be gentle with friends, be just with enemies, be honest and obedient with elders.

"Don't speak ill of other people, don't become angry, don't commit sins, don't be greedy, don't be hurt by unimportant things, don't be jealous, don't be arrogant, don't give in to desire, don't take what belongs to others, don't get involved with another's spouse, don't accompany slanderers, don't associate with people of ill repute, don't cooperate with those who are ignorant, don't fight the weak, don't cause pain to your mother, don't tarnish the good name of your father. Talk maturely in crowds, speak reflectively in the presence of kings, cooperate with friends, with righteousness be successful and prosperous."

Bibliography

This writing is a combination of personal observations, experiences of others, books, articles and internet notes. An attempt has been made to draw a comparison between what is current and the old and, to some extent, ancient traditions.

Books and Original Source Material

1. Hedayatollah Alavi, *Women in Ancient Iran* (in Persian), Hirmand Publications, 1st edition, Tehran, 1998.
2. Aliakbar Mazaheri, *Iranian Family Prior to Islamic Era* (translated into Persian from French by Abdollah Tavakol), Ghatreh Publications, 2nd edition, Tehran, 1998.
3. Gowhar Namdaran, "Zoroastrian Wedding" (in Persian), handwritten text, 2001.
4. Jaafar Shahri, *Old Tehran* (in Persian), Moin Publications, 3rd edition, Tehran, 2002.

Internet and Reference

5. Author unknown, "Marriage Ceremony, History," www.cultureofiran.com/marriage.php.
6. Author unknown, "Philosophy of Persian Marriage Ceremony,"wedsitedesigners.com/exquisite/ceremony.htm.
7. Author unknown, "The Sedreh," www.zarathustra.org/zarathustra/culture/htm.
8. B. Bagheri, "A Wedding, Tehrani Style," www.persianoutpost.com/htdocs/perswed.html.
9. Najmieh Batmanglij, "Persian Wedding Ceremony," www.mage.com/rcw.html.
10. Jivanje Jamshid Modi, "The Marriage Ceremony of Parsis," www.avesta.org/ritual/zwedding.htm.

Glossary and a Guide to Pronunciation

The following is a brief explanation of the words used in this writing as well as a simplified guide to relatively correct pronunciation of the Persian words.

a like a in cat
â like au in August
i like ee in glee
gh like the French R (non-existent in English, a very throaty g)
kh like ch in German (non-existent in English, a very throaty k)

A
Aghd: the legal and religious part of the wedding ceremony (also *gavâh-giri*)
Angoshtar: jeweled ring
Aroos: the bride (Persian word, Arabicized)
Aroosi: the general word for the wedding, specifically the reception (Persian word, Arabicized)
Âsh: a thick soup made with string pasta and vegetable
Avestâ: the Zoroastrian religious book

B
Bâklavâ: a sweet flaky pastry
Baleh-borân: the negotiations between the two sides prior to the wedding

D

Dâmâd: the groom

Dâyereh: a form of tambourine

E

Emshâsfandân: angels in Zoroastrianism

Esfand: wild rue, burned on coal to avoid evil spirits

G

Gavâh-giri (*aghd*): the legal part of the wedding ceremony (Zoroastrian word)

Gol-o-nâr (*baleh-borân*): the negotiations between the two sides prior to the wedding (Zoroastrian word, literal meaning is flower and pomegranate)

H

Hâbirâ: expression of happiness and congratulations (Zoroastrian word)

Halgheh: a ring for engagement, usually no stones or only very delicate stones

Hejleh: a room prepared with flowers, gentle lights and colorful lengths of silk for the couple to unite physically for the first time

I

Izadân: angels in Zoroastrianism

J

Jaheeziyeh: essentially everything necessary to start a new life, excluding housing

Jaziyeh: additional tax that Zoroastrians had to pay to the Islamic governments

K
Kalleh-ghand: sugar cone, sugar loaf
Kâseh-nabât: crystallized sugar in the shape of a bowl
Khâstegâri: the ritual through which the groom's family officially asks the bride's family to permit the wedding
Khoncheh: a very large tray containing many different items used for the *aghd* setting
Kondor: frankincense, burned to avoid evil spirits

L
Lâleh: a glass shade containing a candle or delicate light, made in the shape of a tulip, with ornaments and paintings

M
Maghnaeh: (Persian word, Arabicized) *makna* delicate face cover used in old times, probably the origin of the sheer cover over the bride's head and face
Mâh-e-asal: honeymoon
Majmaeh (Majma): a very large round metal tray
Manghal: brazier, an ornamental and functional bronze container with hot coal inside, used for burning incense like wild rue (*esfand*)
Mahriyeh (colloquially pronounced *mehriyeh*): alimony, a kind of financial guarantee, payable to the bride on demand, but usually in the case of divorce
Mobârak-bâd: blessing and good wishes
Mokhaddeh: large thick cushions for sitting

N

Nâmzadi (*shirini-khorân*): engagement ceremony
Nân-e-bâdami: almond cookies
Nân-e-berenji: rice cookies
Nân-e-nokhodchi: chickpea cookies
Noghl: sugar-covered tiny pieces of almond

P

Pâ-andâz: prior to *aghd* ceremony, when the bride arrives, the groom's mother gives her a gift (*pâ-andâz*) then the *aghd* ceremony starts

Pâgoshâ: in today's Iran, *pâgoshâ* refers to gatherings after the wedding in which relatives and friends invite the new couple as part of their introduction to society as a new unit. In Zoroastrianism, about one week after the engagement the bride's family invites the groom and his family, who will bring some gifts, and socializing between the groom and the bride becomes permissible after that.

Pârsi: a group of Persian Zoroastrians who as a result of Arab attack on Iran migrated to India

Pâtakhti: the day after the wedding, with its own ceremony

Q

Qorân: Islamic religious book

R

Reshteh-borân: a full day party one week after the wedding, in which some string pasta-vegetable thick soup is made from scratch (*âsh*)

Roo-namâ: the gift given to the bride by the mother of the groom when the bride enters *hejleh*, after which everybody leaves and the new couple unites

S

Sangak: a triangular flat bread cooked on a hot bed of pebbles
Shâkh-e-nabât: crystallized sugar in the form of a plant branch
Sham'dân: candleholder, candelabra
Sharbat: a sweet non-alcoholic non-carbonated drink
Shir-bahâ: the value of milk
Shirini-khorân: precursor to engagement ceremony
Sofreh-ye aghd (*sofreh-ye bakht*): *aghd* setting with many items
Sowhân-e-asali: honey almond

T

Tir-tir: the name of a sort of dress made by attached strips of different colors of velvet

Y

Yarâgh: an edging made of delicate gold and silver threads to ornamentally border different parts of an outfit

Z

Zafâf: the union of man and woman, physically and emotionally, consummation of marriage
Zoroastrianism: A Persian religion with a few thousand years of background, which believes in good and bad forces under one God, with human being having choice, and advises good thoughts, good words and good deeds.

Guide to Photographs in Middle of the Book

1. Persian wedding setting photograph from *New Food of Life, Ancient Persian and Modern Iranian Cooking and Ceremonies* by Najmieh Batmanglij, courtesy of Mage Publishers, Washington, DC

2-4. Aghd setting (sofreh-ye aghd), arrangements by Kharman Akhavan, photos by Sayeh Film, Sohrab Riahi

5-66. From the archives of Sayeh Film, Sohrab Riahi

67-68. Personal photos

5. honey
6. part of khoncheh
7. sangak bread
8. candelabra (sham'dan)
9. lamp (laleh), crystallized sugar bowl
10. chest for fabric which is held over the head of bride and groom or jewelry
11. herbs and cheese
12. sangak bread
13. the mirror
14. rings
15. the setting
16. honey, page of Qoran
17. the setting
18. baklava
19. packages of sugarcoated almond bits (noghl)
20. eggs
21. rings
22. crystallized sugar branch (shakheh nabat)
23. sangak bread
24. rings and angoshtar
25. honey, sweets
26. Islam's religious book (Qoran)
27. part of Zoroastrian religious book (Avesta)
28. needle and thread, pomegranate
29. the mirror

30. bread and herbs
31. paisley from seeds of khoncheh tray
32. almonds, walnuts
33. eggs
34. rosewater container
35. the setting
36. mirror and lamp (laleh)
37. herbs shaped like flowers
38. crystallized sugar branch (shakheh nabat)
39. sofreh
40. chest for fabric which is held over the head of bride and groom or jewelry
41. the setting
42. eggs
43. rosewater container
44. sofreh
45. crystallized sugar branch (shakheh nabat)
46. rings and angoshtar
47. bride's bouquet
48. herbs shaped like flowers
49. eggs
50. eggs, crystallized sugar bowl (kaseh nabat)
51. almonds, walnuts, hazelnuts
52. sofreh
53. candelabra (sham'dan)
54. the setting
55. rings
56. crystallized sugar bowl
57. sangak bread, baklava
58. honey
59. sofreh
60. rosewater container, baklava
61. sugar cone, sweet drink container
62. small packages of sugarcoated almond bits
63. prayer set
64. kalleh-ghand, rosewater container
65. brazier (manghal)
66. fabric which is held over the heads of bride and groom
67. the setting
68. engagement tray

پیمان زناشویی ایرانی

بیژن مریدانی

تماس با نویسنده: thepersianwedding@yahoo.com

■ پیمان زناشویی ایرانی: بیژن مُریدانی

■ ویراستار فارسی: رضا گوهرزاد
■ ویراستار انگلیسی: سحر مُریدانی
■ نقاش: ناصر اُویسی. نقاشی ها از کتاب Sufi Art با اجازه رسمی از نقاش.

■ طرح و تنظیم سفره های عقد: خرمن اخوان
■ عکس های سفره عقد: سهراب ریاحی (سایه فیلم)
■ خطاطی: مسعود والی پور (کتابسرا)
■ مشاور هنری: علی مسعودی
■ امور فنی قبل از چاپ: خاچیک، سورنا محمدی

■ نقاشی جلد از ناصر اُویسی، کتاب Sufi Art صفحات ۴۵ و ۵۸.

این کتاب در کتابخانه کنگره ی ایالات متحده آمریکا به ثبت رسیده است.

شابک 0-9770175-0-8

از انتشارات سازمان فرهنگی لایه های درون

Inner Layers
P. O. Box 571535
Tarzana, California 91357-2492
U. S. A.
www.innerlayers.org
info@innerlayers.org

چاپ اول: تیر ماه ۱۳۸۴ ، در ۳۰۰۰ نسخه.

به همسرم کرانه (کارن) که سی سال
با من سر کرده است،
به فرزندانمان
سحر، ابریشم و مازیار،
و به نوه نورچشمی مان، آیزک (ایساکو)...

یادداشت ناشر

لایه های درون سازمانی است فرهنگی که برای ثبت و ارائه ی جنبه های مختلف فرهنگ ایرانی به وجود آمده است. در لایه های درون ما بر این باوریم که هر گوشه و هر جزء زندگی روزمره شایسته ی توجّه و بازنگری است . هدف ما گردآوری اطلاعات و پژوهش در مورد فرهنگ ایرانی به ویژه بخش هایی است که مسکوت مانده، به حاشیه رانده شده و اشکال سنتی تحلیل و پژوهش به آن ها نپرداخته اند.

لایه های درون تلاش می کند تا دریچه ای باشد برای اظهار نظرات پژوهشگرانی که در این گستره ی فکری فعالیت می کننـد. روشن است که انتشار آثار این پژوهشگران به معنای بیان دیدگاه های لایه های درون و گردانندگان آن نیست، بلکه هدف گشودن فضای بازتری برای ارائه ی نگاه هایی متفاوت به فرهنگ ایرانی است.

برای آگاهی بیشتر در مورد لایه های درون به آدرس زیر رجوع کنید:

www.innerlayers.org

سپاس

من در پاسخ یک نیاز، به گردآوری مطالب این کتاب پرداختم. نه از روی
تخصص، بلکه از روی مهر. پس این نوشته ممکن نمی شد مگر با راهنمایی و
همکاری صمیمانه کسانی که در اینجا با کمال سپاسگزاری از آنان نام خواهم
برد.

برای ویراستاری نسخه فارسی، رضا گوهرزاد زحمت فراوان کشید تا از
مطالب درهم من، نوشته ای جمع و جور فراهم آید. یادآور می شوم که بنا به
سلیقه و پسند خویش، برخی از واژه ها و تغییراتی را که او در ویرایش کتاب
انجام داده است بکار نگرفته ام. بنابراین کاستی های موجود، مسئولیت من
است.

نسخه اول و نسبتاً مختصر انگلیسی را همسرم کرانه ویراستاری و تایپ کرد.
کار دشوار ویراستاری تنظیم نسخه نهایی بر عهده دخترم سحر مریدانی قرار
گرفت.

برای تصویرهای کتاب بررسی فراوان کردم. سرانجام هنرمند و نقاش
مشهور، ناصر اویسی، سخاوتمندانه با همکاری خود مرا مفتخر ساخت.
کارهای زیبای او را در کتاب می بینید. یادآوری می کنم که همکاری اویسی
به صورت افتخاری انجام شده است.

خرمن اخوان، متخصص هنرمند سفره های عقد، با مهربانی اجازه داد

از تصویرهای سفره های عقد او که همه توسط سهراب ریاحی (سایه فیلم) عکسبرداری شده اند استفاده کنم. علی مسعودی، روزنامه نگار و سردبیرهنری سابق مطبوعات، گام به گام در کارهای هنری کتاب راهنمایی ام کرد. از ابتدای کار که به دنبال مطلب برای این کتاب جستجو را آغاز کردم، مینو شریفان، کتابدار کتابخانه اورنج کانتی کالیفرنیا با کمال صمیمیت یاری ام کرد. جواد مصطفوی، مدیر انتشارات نگارش، در کار حروفچینی و صفحه بندی با صبوری تمام مرا یاری داد.

درپایان باید یادآوری کنم که بخش دوم فارسی این کتاب، نوشته خانم گوهر نامداران است و در قسمت انگلیسی متن آن را با کوشش در حفظ سبک، ترجمه کرده ام. داستان این همکاری را در بخش مربوطه خواهید خواند. خاطرات شخصی خانم نامداران و آنچه از مادربزرگ خود به یاد دارند، به این کتاب اعتبار و اصالتی ویژه داده است که بدون نوشته ایشان ممکن نمی شد.

از همه این عزیزان نهایت سپاس را دارم و خود را مدیون آنان می دانم.

بیژن مریدانی

فهرست

پیشگفتار

انگیزه اصلی نگارش این کتاب، شرح و وصف مراسم سنتی عروسی ایرانی برای فرزندانم بود. هر چه جستجو کردم تا شاید کتابی در این زمینه پیدا کنم، گر چه جسته گریخته نوشته هایی پراکنده در منابع مختلف یافتم، اما کتابی که کلیات مراسم پیمان زناشویی ایرانی را در یك جا گردآوری کرده باشد در دسترس نبود. در ضمن جستجو، به فکر افتادم که تاثیر فرهنگی حمله و استیلای نیروهای مهاجم گوناگون در طول تاریخ ایران را، در مراسم و آیین ازدواج قدیمی و سنتی ایران بیابم، بی تردید این کار تنها با مقایسه این مراسم، در ایران باستان و ایران امروز میسر و در توان مردم شناسان و جامعه شناسان است، پس این نوشته تلاشی بی ادعا و از سر عشق و مهر است.

شاید نتوان گفت که این نوشته، مقایسه کامل بین مراسم کهن و مراسم امروزی است. خاطرات کهن، دستخوش دستبردهای زمانه گشته است و نوشته های توصیفی چندانی از آن در دسترس نیست. با وجود این، مقایسه ای نسبی بین مراسم قدیمی و مراسم امروز نشان می دهد که مثل همیشه مردم ما توانسته اند سنت ها و آیین های خود را به رغم دشمنی و فشار نیروهای مهاجم، تا جای ممکن دست نخورده نگاه دارند. حتی اسلام که جایگزین دین رسمی ایرانیان شد، این سنت ها را چندان دگرگون نکرده است. نگاهی به مراسم ازدواج دیگر کشورهای اسلامی نشان دهنده این است که تنها چاشنی

اسلامی در آیین ازدواج ایرانی، در زمینه خطبه عقد است نه چندان بیشتر.
در این نوشته در بخش نخست به بررسی عروسی در ایران امروز می پردازیم.
در بخش دوم، عروسی زرتشتی در طی چند قرن اخیر با استفاده از نوعی از «تاریخ شفاهی» توصیف شده است. در بخش سوم، به نقل مطالبی در مورد عروسی در طی چند قرن اخیر، تا حدود هشتاد تا صد سال قبل در بین مسلمانان، که اکثریت جمعیت ایران را تشکیل می دهند، پرداخته ایم. در بخش چهارم، با گردآوری اطلاعاتی در مورد ایران باستان، تا آنجا که ممکن است تصویری از آداب و رسوم زناشویی در دوره باستانی نیاکانمان را نشان می دهیم. با مقایسه این مطالب، در واقع می توان نتیجه گرفت که این مراسم در طی قرون، از دوران باستان تاکنون، تفاوت زیادی نکرده است.
ثبات و عدم تغییر این مراسم در طی قرون، تا حدی است که بررسی دوره های مختلف، گاهی حالت تکرار مکررات پیدا می کند. درست همین نکته است که نشان می دهد با وجودتاریخی پر از رویداد های گوناگون، چگونه فرهنگ پر توان ایران پایدار باقی مانده است. این نکته از نظر تاریخ شناسان دور نمانده است. در کتاب زن در ایران باستان، نوشته «هدایت الله علوی»، انتشارات هیرمند، که خود از کتاب ایران، توصیفی مختصر از نظر تاریخی نقل می کند، چنین آمده است: «...ولی با وجود این... حمله تازیان چندان تاثیری در آداب و رسوم ایرانی نکرده است...و [ایرانیان] زندگی و مذهب جدید خود را بر طبق آداب و سنت های قدیم خود ترتیب داده اند...می توان گفت که بیشتر این آداب، به قدری ریشه عمیق دارد که حتی حمله اسکندر (حدود ۲۳۰۰ سال پیش) نتوانسته است اثرهای آن را از بین ببرد[۱]»
در اینجا یاد آوری چند نکته در مورد متن کتاب ضروری به نظر می رسد.
مراسم، هدایا و وسایلی که در این نوشته ذکر می شوند، در خانواده هایی بوده و هست که از شرایط مالی به نسبت مرفه برخوردار هستند. در شرایط برتر،

(۱) زن در ایران باستان، هدایت الله علوی، انتشارات هیرمند، چاپ دوم، ص. ۸۵ و ۸۶، به نقل از دار مستتر در کتاب ایران، توصیف مختصر از لحاظ تاریخی، صفحه ۱۷.

جلال و شکوه همه چیز بیشتر بوده و در شرایط مالی ضعیف تر، به طبع، مردم همه آداب را با امکانات مالی خود تطبیق داده و می دهند. تلاش کرده ام تاآنجا که ممکن است، این نوشته توصیف و تجسمی باشد از مراحل گوناگون مربوط به مراسم ازدواج، با ذکر رنگ ها و جزییات. شاید یك فیلم، بهتر می توانست این کار را انجام دهد.

در ضمن برای کسانی که با تلفظ واژه های مختلف آشنایی ندارند، در پایان برگردان انگلیسی، روش و راهنمای ساده و کوتاهی برای تلفظ نزدیك به درست واژه ها، نشان داده شده است.

دوستی داشتم از کشور هندکه در مقدمه کتابش [۱] ، خطاب به نوه اش نوشته بود: «[سرزمین ما]پر ازمراسم و سنت های فراوان است. باید آنها را که خوب و زیبا است حفظ کرد و آنها را که تلخ و ظالمانه است، به دست فراموشی سپرد.» یادش گرامی باد.

در مراسم عروسی ایرانی نیز زیبایی ها فراوان است، که در نقل آن کوشیده ام. گاه اینجا و آنجا، به نکاتی برخوردم که نه با زمان ما می خواند، نه زیبایی دارد و نه حاکی از مهربانی و عشق است. آنها را به مسوولیت خود حذف کرده ام. در صورت نیاز و کنجکاوی، مراجعه به منابع یاد شده در کتاب، شما را با آنها آشنا خواهد کرد.

بی تردید این نوشته بیانگر کامل تاریخی و سنتی مراسم ازدواج نیست. مهم تراز آن، دین و آیین های موجود در امروز و گذشته ایران، تنها به اسلام و زرتشتی محدود نیست. اقلیت های دینی دیگر مانند یهودی، مسیحی (بیشتر ارامنه و آشوریان) و بهایی نیز هستند که مراسم آنان نیز می بایستی بخشی از این کتاب می بود،چون این اقلیت ها در درجه اول ایرانی و پس از آن عضوی از اقلیت مربوط به خود محسوب می شوند. این ها در نگهداری و باروری

(۱) The Big Banyan Tree, Ishu Acharya, Writers Club Press, 2001

فرهنگ ایرانی همیشه کوشا، توانا و صمیمی بوده و هستند، تا جایی که به ویژه در سال های اخیر و در دیار غربت، گهگاه تلاش آنها برای نگهداری فرهنگ ایرانی بسیار چشمگیر بوده است. علاوه بر آن، بررسی تفاوت های محلی و همچنین اثرهای نحوه زندگی مردم، مانند زندگی ایلی و عشیره ای، می توانست رنگ و بو و حال و غنای فراوان به این کتاب ببخشد. من این کمبود را می پذیرم. از سوی دیگر هدف این کتاب، بیشتر یافتن رسوم مشترک بین گذشته و امروز ایران بوده است تا بتوانم نشان دهم که با وجود تاریخی پر رویداد و هجوم همواره بیگانگان گوناگون، چگونه فرهنگ ایرانی با آرامش و بدون هیاهو، پایداری کرده است. پس گرد آوری «تفاوت» های محلی مراسم ازدواج و همچنین مراسم اقلیت های ایرانی دیگر را به کتابی دیگر می گذارم.

از همین فرصت استفاده می کنم و از همه خوانندگانی که می توانند آگاهی هایی در زمینه تفاوت های محلی یا مراسم اقلیت های دینی یا هر نکته دیگری که مورد نظر آنان در ارتباط با موضوع این کتاب است بیفزایند، دست یاری بر آرند و آن نکته ها را به هر راهی که می خواهند برای من بفرستند. بسته به دلخواه آنان، با ذکر نام خودشان، و اگرنه، بدون آن در گرد آوری آینده و تکمیل نگارش این سنت ویژه از آن بهره خواهم گرفت.

سرانجام باید یاد آوری کنم که حتی در یک منطقه خاص و در یک زمان معین، با توجه به تمایلات دینی و مسلکی، توان مالی و در نهایت سلیقه های شخصی و خانوادگی، تفاوت هایی وجود دارد، اما چهارچوب و فلسفه سنت، همانند و یگانه است و در نهایت عشق است و عشق است و عشق...

«ای دختران شوی کننده و ای دامادان، اینک بیاموزم و آگاهتان سازم. پندم را به خاطر خویش نقش بندید و به دلها بسپرید. با غیرت از پی زندگانی پاک منشی بکوشید. هر یک از شما باید درکردار و گفتار و پندار نیک به دیگری سبقت جوید و از این رو زندگانی خود را خوش و خرم سازد.»

(گات های زرتشت-یسنا-هات ۵۳)

بخش نخست

پیمان زناشویی
در ایران امروز

نقاشی: ناصر اویسی
از کتاب: Ovissi, Sufi Art
بخشی از تابلو نقاشی صفحه ۳۱

پیمان زناشویی در ایران امروز

در ایـران امـروز، کلیات مراسـم ازدواج کم و بیش همان اسـت که از گذشـته بسـیار دور رایج بوده است. خواسـتگاری، نامزدی وعقد و عروسـی، تا حد زیادی همان مراحلی را طی می کند که در گذشـته معمول بوده است و به نظر می رسـد که تفاوت ها جزیی هسـتند. بسـیاری از این مراسـم مربوط به دوره ساسـانی و حتی پیش از آن اسـت و شـگفتا که حمله اسکندر، اعراب و مغول، تغییرات زیادی در آن به وجود نیاورده است.

دیدار و آشنایی:

به احتمال زیاد، دختر و پسر پیش تر یکدیگر را دیده اند و شاید آشنا هم باشند. ایـن دیدارهـا در محـل کار، مـدارس، دانشـگاه ها، بازار، جشـن هـای مختلف خانوادگی و غیره اتفاق می افتد. افراد فامیل و آشنایان هنوز هم با کوششی در فراهـم آوردن دیدار دخترهـا و پسـرها به عنوان نامزدهـای احتمالی آینده به این امر کمك می کنند. اما این را نباید با حالت قدیمی این موضوع یا به اصطلاح فرنگی هـا[1] ازدواج قراردادی اشـتباه کرد. احتـمال تحمیل یك نفـر به عنوان همسر از جانب خانواده به فرزندان، اتفاقی بسـیار نادر است. اما احتـمال کمك در دیدار افرادی که می توانند نامزد مناسبی برای یکدیگر باشـند، امری است

---

(1) Prearranged Marriage

که در ذهن اطرافیان همیشه وجود دارد.

مرد جوانی که به دختری برای همسری تمایل دارد، مستقیم یا غیر مستقیم، علاقه خود را به آگاهی اعضای خانواده خود می رساند (معمولا به خواهر یا مادر خود می گوید)، سپس از جانب خانواده داماد، پیامی برای خانواده عروس فرستاده می شود که در آن قصد کلی به اطلاع آنها می رسد. دختر جوان یا پیشتر از مساله اطلاع دارد، یا بلافاصله در جریان امر قرار می گیرد. معمول است که یک کنجکاوی و تحقیق کلی درباره داماد و خانواده او انجام می شود و البته بیشتر وضعیت خود داماد مطرح است تا خانواده او. در این تحقیق، کلیات مطرح در مورد داماد، ظاهر، وضع اقتصادی، وضع تحصیلی و ویژگی های اخلاقی او مورد بررسی قرار می گیرد. از همه مهمتر این است که آیا دختر تمایلی کلی نسبت به داماد دارد یا نه. در این مورد، نظر اعضای خانواده دختر بیشتر جنبه مشاوره ای دارد تا تحکم، چون تصمیم با خود دختر است.

اگر پاسخ نخستین منفی باشد، پیامی مودبانه و شاید همراه با توضیح یا بهانه برای رد کردن پیشنهاد فرستاده می شود و قضیه به همین جا ختم می شود. اگر جواب جنبه مثبت داشته باشد، یک ملاقات غیر رسمی از جانب مادر و یکی دیگر از خانم های عضو خانواده پسر با خانواده عروس صورت می گیرد. در این ملاقات اطلاعات بیشتری در مورد داماد در اختیار خانواده عروس قرار می گیرد. این فرصتی است که اگر آنها دختر را قبلا ندیده اند، او را ببینند. پس از این دیدار غیر رسمی، یک یا دو طرف قضیه ممکن است مساله را به دلایلی خاتمه دهند و قاعدتا هیچگونه احساس بدی نباید پیش بیاید. رابطه ای است که به دلایلی سر نگرفته است. در همین جا یادآوری می کنم که هر جا مشکلی در کار پیش آید، البته مساله به این سادگی منتفی نمی شود. اگر دختر و پسر از قبل به طریقی آشنا باشند و یکدیگر را بخواهند، خانواده ها به این راحتی نمی توانند مانع ازدواج شوند، اگر چه ممکن است مقاومت کنند، اما این

مقاومت ها چندان مستحکم و غیر قابل تغییر نیست. اگر همه جریان ها روی هم رفته مناسب باشد، خانواده عروس اجازه خواستگاری رسمی را صادر می کند که تاریخ آن با موافقت طرفین تعیین می شود.

خواستگاری

در روز معین، مرد جوان و اعضای خانواده اش با لباس مرتب و خوب به خانه خانواده عروس می روند. خانواده عروس، خانواده داماد را به گرمی می پذیرد و پذیرایی با چای و شیرینی و میوه انجام می شود. رسم است که دختر با یک سینی چای وارد شود و به همه میهمانان چای تعارف کند که کار آسانی نیست و لرزش دست دختر در هنگامی که سینی چای را جلوی میهمانان می گیرد، گواه آن است . گاهی در همین روز، یک ملاقات خصوصی کوتاه مدت بین دختر و پسر برای آشنایی بهتر اتفاق می افتد. این در همان زمانی است که اعضای دو خانواده درباره مسایل مختلف روز صحبت می کنند تا فرصتی که برای ملاقات خصوصی دختر و پسر فراهم شده است، زیاد آشکار نباشد. اگر نظر دختر و پسر پس از این ملاقات خصوصی مثبت باشد، خانواده ها به هم تبریک می گویند. در بسیاری از خانواده ها، این مرحله از خواستگاری را با شیرین کردن دهان به پایان می برند و تاریخ «بله بران» را که جلسه مخصوص صحبت درباره جزییات ازدواج است، تعیین می کنند. برخی از خانواده ها در روز خواستگاری، هدیه ای مثل یک تخته پارچه لباسی به رسم پیشکش و خوش شگونی به عروس آینده هدیه می کنند.

بله بران:

از آنجاکه عقد و پیمان ازدواج و زناشویی در اصل نهادین خود، یک قرارداد اقتصادی نیز در خود دارد، در روز «بله بران» که با حضور بزرگ ترهای دو فامیل در خانه دختر برگزار می شود، تمامی مسایل اقتصادی ، به ویژه مهریه،

شیربها، نحوه و شکل برگزاری مراسم عقد و به ویژه عروسی، (شمار میهمانان دو خانواده و محل برگزاری و ...) مورد بررسی و توافق قرار می گیرد. مرحله «بله بران» روزگاری از مهمترین مراحل پیوند زناشویی بوده است، ولی امروزه با تغییر شکل مناسبات اقتصادی در جامعه، سرعت واحتمال دست یابی به توافق اقتصادی در «بله بران» بیشتر شده است. در شب «بله بران»روز نامزدی تعیین می شود.

نامزدی:

نامزدی بیشتر به صورت یك میهمانی شام و در خانه خانواده عروس برگزار می شود. شرکت کنندگان، افراد نزدیك خانواده دو طرف و دوستان بسیار نزدیك عروس و داماد هستند.

پیش از صرف شام، هنگامی که همه میهمان ها حاضر هستند، سینی نامزدی رابه مجلس می آورند. این سینی دربرگیرنده حلقه های نامزدی است که عروس برای دامادو داماد برای عروس تهیه کرده است. حلقه های نامزدی معمولا ساده و از جنس طلا و بدون جواهرات اضافی هستند (بر خلاف حلقه های عروسی). همچنین نماد های دیگری مثل گل سرخ و کتاب دینی یا دیوان حافظ در این سینی قرار دارد. گاهی یک آیینه کوچک تزیینی نیز در این سینی می گذارند.

در میان شادی و هلهله و کف زدن میهمان ها، نخست داماد حلقه نامزدی را به انگشت عروس آینده می کند و سپس عروس حلقه رابه دست داماد می کند، سپس میهمانان شادباش می گویند و برای آنان آرزوی نیکبختی و سعادت می کنند. موسیقی شاد و رقص، مجلس را لبریزاز شادمانی می کند.

مراسم نامزدی اعلام رسمی تصمیم عروس و داماد برای پیوند با یکدیگر است. با وجود این، برخی از خانواده های به شدت مذهبی مسلمان، برای رعایت اصول، «صیغه محرمیت» بین دختر و پسر جاری می کنند تا آنها بتوانند

در معاشرت با یکدیگر، گردش رفتن و خرید کردن، آزاد باشند. به هر حال روابط جنسی زناشویی، فقط پس از عقد رسمی و عروسی رخ خواهد داد.

مهریه:

یکی از مهمترین نکات مورد مذاکره بین دو خانواده مساله مهریه است. مهریه نوعی بیمه مادی است که اگر پس از ازدواج، زندگی مشترك دچار اشکال و در نهایت منجر به جدایی شود، این مبلغ باید از جانب داماد به عروس پرداخت شود. میزان آن وابسته به عقاید خانواده دو طرف و توان مالی آنها، از هدیه ای نمادین مثل یك سکه طلا، تا مبالغ کمر شکن تفاوت می کند. چون دو خانواده باید در مورد مهریه توافق کنند، گهگاه همین مشکل ممکن است همه چیز را به هم بزند. اگر چه مبلغ مهریه بنا بر شرح قوانین در هر زمان که زن بخواهد قابل دریافت خواهد بود، اما در عمل فقط در صورت طلاق و جدایی است که پرداخت می شود. برای برخی از خانواده ها، میزان مالی آن نشان دهنده مقام والای دختر و خانواده ی اوست. از سوی دیگر، خانواده های پیشرفته، متجدد و روشنفکر، مهریه را به عنوان مطلبی نمادین تلقی می کنند و مقام دختر را والا تر از ارزش مادی مهریه می دانند و به این ترتیب مهریه،به یك شاخه نبات و کتاب حافظ یا کتاب دینی یا یك سکه طلا محدود می شود، چون اعتماد دو خانواده بر پایه عشق دو نامزد جوان است، نه یك پشتوانه بزرگ مالی. روشنفکران و رهبران اخلاقی جامعه ایران، تا حد زیادی به خانواده ها توصیه می کنند که از تحمیل شرایط سنگین و مشکل کردن کار ازدواج فرزندانشان اجتناب کنند.

شیر بها:

در برخی از خانواده ها، رسمی به نام شیربها وجود دارد که مبلغ معینی است که خانواده داماد به خانواده عروس می پردازد. امروزه این رسم در بیشتر

خانواده ها منسوخ شده است. در هر حال این را با خریدن عروس نباید اشتباه کرد. در ظاهر این قیمت شیری است که دختر خورده است و در واقع مظهری است از زحمت و تلاشی که صرف تربیت دختر شده است و با رفتن او به خانواده داماد، حاصل این تلاش به خانواده داماد منتقل می شود. واقعیت عملی تر آن، این است که به تهیه جهیزیه ای مفصل که تقریبا برای همه خانواده ها نوعی فشار مالی است، کمک می کند. در بسیاری از نوشته هایی که من خوانده ام، و به خصوص در نوشته های انگلیسی، این رسم را با خریدن عروس اشتباه کرده اند که خود نشانه ای از آگاهی محدود فرهنگی در این نوشته هاست.

جهیزیه:

تهیه جهیزیه گاهی از دوران کودکی عروس آینده، از سوی خانواده عروس آغاز می شود. لوازمی وجود دارد که از اول زندگی یک مادر، به خاطر عشق و علاقه اش، آن را برای جهیزیه دخترش کنار می گذارد. در هر حال رسم بر این است که خانواده دختر، بیشتر وسایل مورد نیاز برای شروع یک زندگی مستقل را تهیه می کنند. این وسایل از فرش و یخچال و مبلمان تا وسایل اتاق خواب و لوازم غذا خوری و غذا پختن و چرخ خیاطی و پوشاک و غیره را در بر می گیرد. از طرف دیگر، تامین مسکن، خانه مستقل یا لا اقل آپارتمان اجاره ای به عهده داماد است. تهیه جهیزیه مناسب، وظیفه والدین دختر است و خانواده ها سعی می کنند این کار را به نحو احسن انجام بدهند و از صمیم قلب برای آن مایه می گذارند و آن را نشانه آبروی خانواده می دانند.

از سوی دیگر، جهیزیه میزان توان اقتصادی خانواده را نشان می دهد. در گذشته که زندگی ساده تر بود، تهیه جهیزیه نیز آسان تر می نمود، در حالی که امروزه که زندگی شهری و گسترش نحوه زندگی، دستاورد های صنعتی و الکترونیکی را به نیاز های معمول افزوده است، گهگاه تهیه جهیزیه، فشار

بیشــتری بـر دوش خانـواده عروس می گذارد. گفته مـی شــود که در گذشــته، جوانمردان و عیاران محل، بدون سر و صدا در تهیه جهیزیه به خانواده هایی که از بهـره مالی چندانی برخـوردار نبودند کمـك می کردند و این مشــارکت را موجب سر بلندی خانواده های محل می دانستند. تامین مسکن به عهده داماد است. پیش از مراسم عروسی، طی مراسمی که به آن «جهاز بران» می گویند، جهیزیه به خانه آینده عروس و داماد منتقل می شود. [۱]

نامزدبازی

هیچ ایرانی ازدواج کرده ای نیست که دوران شیرین و پر هیجان نامزدی و نامزد بازی را به خاطر نداشــته باشــد. در فرهنگی که تماس زن و مرد همیشــه به شــدت محدود بوده اســت، این دوران که همراه با دیدار های کوتاه و معمولا با حضور دیگران شـروع می شـود و با نگاه های عاشــقانه و گهگاه اگر خیلی شـجاع و شیطان باشند و فرصتی دست دهد، ردوبدل کردن بوسه ای در خلوتی اتفاقی که آن هم با هزار دلهره و اضطراب همراه است، ادامه می یابد.

در دوران نامزدی، چه در قدیم و چه امروز، معاشرت محدود زن و شوهر آینده نسبتا مجاز است، با وجود این دختر و پسر که خود را در واقع متعلق به یکدیگر می دانند، با شور و ذوق فراوان به انتظار این دیدار های کوتاه مدت و شیطنت های معصومانه مربوط به آن هستند. این دوره که از نامزدی تا عقد و عروسی طول می کشد برای همه ایرانیان با خاطراتی خوش و عاشقانه همراه است.

ساقدوش

یکی از ســنت های ازدواج ایرانی، گزینش ســاقدوش اسـت. پیش از مراسـم

---

(۱) در سال های اخیر چون زندگی پیچیده تر شده و هزینه ازدواج به سطحی غیر عملی رسیده است، برگزاری مراسم ازدواج های گروهی با حمایت دولت به صورت یکی از راه های انجام این مهم در آمده است.

ازدواج و بـرای تسـهیل رونـد برنامـه هـای پیـش از ازدواج، دو نفر همراه بـرای عـروس و دامـاد بـه مثابه مربی و مشاور بر گزیده مـی شـونـد، گرچـه بـه ظاهر وظیفـه دو سـاقدوش چـه بـرای دامـاد و چه بـرای عروس، آشـنا سـازی آنان با جنبه های گوناگون زندگی زناشـویی اسـت، افزون بر مسـایل اجتماعی، گاه نقش مشاور در زمینه روابط جنسی را نیز بازی می کنند. در جامعه و فرهنگی که رابطه جنسی پیش از ازدواج مطلقا قابل پذیرش نیست، بی تردید نقش این ساقدوش ها آموزنده و آرامش بخش نیز هست.

سـاقدوش هـا از میـان دوستان بسـیار نزدیک و یا خویشاوندان صمیمی و محرم راز بر گزیده می شـوند. طبیعی اسـت کـه سـاقدوش عـروس از میـان بانـوان و سـاقدوش دامـاد از میـان مردان بر گزیده مـی شـود. تجربـه و اخلاق پسـندیده و موفقیت در زندگی زناشویی، از معیار های گزینش ساقدوش است.

خرید های عروس و داماد:

عروس و دامـاد در این مرحله، شـروع به خریـداری جواهرات، از جمله انگشتر ازدواج و همچنیـن سـایر لـوازم مـورد نیاز مراحـل بعـدی می کنند. در این خریـد هـا، خواهر یا خواهران عروس، یا بهتریـن دوستش و خواهر یا خواهران دامـاد یا خانمی از آشـنایان نزدیک دامـاد، همراه عروس و داماد هستند. معمولا مادر عروس یا مادر داماد در این کار شـرکت نمی کنند و مقام خود را بالاتر از آن می دانند کـه در این کارهـای بـه نسـبت کـم اهمیت، دخالـت مسـتقیم داشـته باشـند، اگر چـه غیر مستقیم بر همه امور نظارت یا دخالت دارند. در هر حال، عضـویـت در این گـروه بـرای سـایر اعضـای خانواده یا دوستان نوعی افتخار محسوب می شود.

بهـای آنچـه که بـرای عروس خریـداری مـی شـود، خانواده داماد یـا خود داماد مـی پـردازد. پرداخت بهای آنچه برای داماد تهیه می شـود، به عهـده خانواده عـروس یـا خود عروس اسـت. در همیـن مرحلـه، بـرای خوش آمد همراهان،

گهگاه خانواده هر دو طرف، هدایایی هم برای همراهان تهیه می کنند.
انتخاب و سفارش لباس عروس و داماد هم در همین مرحله انجام می شود.
امروزه از شمار همراهان این خریدها کاسته شده است و گاه عروس و داماد همراه یکدیگر و بدون حضور دیگران و با استقلال رای، به خرید می پردازند و کسی را همراه خود نمی برند.

جهاز بران

سرانجام، هنگامی که تمامی لوازم و وسایل مورد نیاز آماده شد، طی مراسم ویژه ای جهیزیه عروس، روانه خانه داماد می شود.
امروزه، گسترش شهر ها و روابط شهر نشینی موجب شده است که جهیزیه با کامیون و یا چند خود رو به خانه داماد حمل شود، ولی در گذشته نه چندان دور، از طبق کش ها و در گذشته دورتر از اسب و شتر و گاری برای حمل جهیزیه یاری می گرفتند. فراخور میزان لوازم و وسایل، کاروانی از طبق کش ها به دنبال یکدیگر راه می افتادو شخصی که یك آیینه بزرگ را حمل می کرد، طلایه دار کاروان جهیزیه بود. آنان که توان مالی بیشتری داشتند، نوازندگانی را اجیر می کردند تا طبل و سرنا و کرنا بزنند و با نوای موسیقی، شادمانی و سرور را همراه با جهیزیه به خانه بخت ببرند.
مردم در خیابان ها و کوچه ها، به تماشای حمل جهیزیه می پرداختند. هنگام حرکت و سرانجام در نزدیکی خانه داماد، اسپند در آتش دود می کردند تا کاروان جهیزیه از بلا دور باشد.
البته چون امروزه حمل جهیزیه با ماشین های حمل بار به خانه داماد حمل می شوند، جنبه های تماشایی آن تا حد زیادی محدود شده است.

پیمان زناشویی (عقد و عروسی)

عقد و عروسی معمولا در یک روز انجام می شود. تنها پس از عقد و عروسی است که عروس و داماد در واقع می توانند به تمام معنی با هم باشند و روابط نزدیک زناشویی داشته باشند. عقد، بخش رسمی مراسم است که عروس و داماد یکدیگر را به همسری می پذیرند و مدارک لازم و مربوط را امضا می کنند. عروسی بخش پذیرایی پس از آن است که بسیار مفصل است و با شام و همچنین موسیقی و رقص (در صورت مجاز بودن آن) همراه است.

در مراسم عقد، نه تنها با امضای قرارداد، بخش قانونی زندگی مشترک صورت می گیرد، بلکه به سبب حضور عاقد مذهبی یا مقام رسمی مجاز به جاری ساختن صیغه ی عقد، بر مبنای اصول مذهبی و باور دینی عروس و داماد، ازدواج جنبه شرعی خود را نیز آغاز می نماید. بخش شرعی و مذهبی عقد، بستگی به دین و باور عروس و داماد دارد و بین مذاهب و آیین های باوری رایج در ایران، این مراسم اندک تفاوتی پیدا می کند.

شمار افرادی که در مراسم عقد حضور دارند اندک، و محدود به بستگان نزدیک و دوستان بسیار صمیمی است. این مراسم در منزل خانواده عروس انجام می شود. تعداد کسانی که در مراسم جشن عروسی حضور دارند، خیلی بیشتر از شرکت کنندگان در مراسم عقد کنان است. در بسیاری از موارد، جشن عروسی یا در منزلی خیلی بزرگ یا در تالار های مخصوص عروسی یا میهمان خانه های بزرگ انجام می شود. مراسم عقد کنان، بسیار سنتی و زیباست. پیش از گفتگو از مراسم عقد، به شرح سفره عقد می پردازم.

سفره عقد:
سفره ای است در حدود یك متر یا یك متر و نیم در دو متر و نیم. اندازه آن محدود نیست. معمولا دست دوز و جنس آن از پارچه ترمه بته جقه ای با نخ های ظریف طلایی یا نقره ای است. این سفره در بالای اتاق پهن می شود، به طوری که کناره ای که طرف مقابل عروس و داماد است، با دیوار یا پنجره و درگاه اتاق مماس باشد. برخی از مسلمانان به گونه ای این سفره را پهن می کنند که هنگامی که عروس و داماد پایین آن می نشینند، رو به قبله نشسته باشند.

این سفره گاهی نسل اندر نسل نگهداری و استفاده می شودو حرمت و احترام ویژه خود را دارد. آنچه در سفره عقد چیده می شود، به گونه ای نماد و یا نماینده سنت و دیدگاهی از آیین های گذشته دیرین است و هر کدام معنای ویژه ای دارد.

گر چه ممکن است بسته به ثروت و مکنت خانواده عروس و داماد، لوازم سفره عقد ارزش و قیمت متفاوت داشته باشد ولی از نظر مفهوم نمادین، یگانه، مشترك و همانند هستند. اجزای این سفره در طول قرون تغییر عمده ای نکرده است و از جانب همه ایرانیان عزیز شمرده می شود. اکنون جزییات آنچه را که روی این سفره چیده می شود، شرح می دهیم:

آیینه عقد (آیینه بخت)
آیینه، مظهر و نماد راستی و حقیقت است. از این نماد پر معنا، به مثابه نمایش راستین شفافیت در گفتار و کردار بهره می گیرند. آیینه سفره عقد، قاب تزیین شده ای دارد. بزرگی این آیینه تقریبا ۵۰ در ۷۵ سانتی متر است. بر سر سفره عقد، عروس و داماد به گونه ای می نشینند تا تصویرشان در سوی مقابل، در آیینه بازتاب داشته باشد. هنگامی که عروس وارد اتاق عقد می شود، داماد تصویر او را در کنار خود، در آیینه برای بار نخست می بیند.

لاله یا شمعدان:

لاله نوعی از شمعدان است که از شیشه ساخته شده و شکل قسمت بالای آن (قسمتی که شمع یا چراغ را احاطه می کند)به شکل گل لاله است و شمع یا چراغ ظریفی در داخل آن قرار می گیرد. قسمت لاله ای شکل و پایه آن، معمولا با نقاشی های قدیمی تزیین شده است. به جای استفاده از لاله، از هر نوع شمعدان دیگری نیز می توان استفاده کرد. در هر طرف آیینه، یك لاله با شمع یا چراغ روشن قرار می گیرد و پرتوی زیبا به سفره عقد می بخشد. شعله شمع یا نور چراغ، نشانه ی، روشنایی و بینش است. آتش، نور و روشنایی به عنوان پاك کننده از زمان پیش از زرتشت، یعنی از چند هزار سال پیش تازمان حاضر، یکی از مظاهر مورد احترام ایرانیان بوده است و هنوز هم در سفره عقد، در سفره نورز و در مراسم چهارشنبه سوری، نشانه های این وابستگی دیده می شود. لاله ها و آیینه لوازمی است که به وسیله خانواده ی داماد تهیه می شود.

خوانچه:

خوانچه [۱] سینی بزرگی است که در آن دانه ها و مواد گوناگون با مفاهیم نهادین، به شکل تزیینی ترتیب داده شده اند. در بسیاری از این نقش و نگارها، تصویر بته جقه به شکل های گوناگون دیده می شود که خود نهاد تداوم نسل و شاید نهادی از مراحل اولیه جنینی باشد. در درون این نقش و نگارها، دانه ها و مواد مختلف قرار گرفته اند که با رنگ های متنوع خود، به این سینی بزرگ زیبایی ویژه ای می دهد. ازنظر سنتی، این سینی بسیار مهم است و سفره عقد بدون آن خالی است. دانه ها و مواد گیاهی و معدنی مورد استفاده در این سینی عبارتند ازهفت ماده مختلف که گویا از نظر سنتی برای دفع ارواح خبیثه و

(۱)خوانچه به این شکل نوشته می شود، ولی خانچه یا خُنچه تلفظ می شود.

جادوی سیاه از آن استفاده می شود. عدد هفت (نمایانگر شمار ورجاوند هفت)نیز از زمان ایران باستان برای ایرانیان عددی مقدس و خوب به شمار می آمده است. این مواد عبارتند از دانه خشخاش، برنج، گلپر، نمك، برگ سبز، سیاه دانه و اسفند. برنج نشانه فراوانی است، دانه خشخاش برای دفع جادو است. برگ سبز، نمک و گلپر بر ضد چشم بد است. اسفند برای دور کردن ارواح خبیثه است. گاهی از کندر هم استفاده می شود که آن هم برای اجتناب از ارواح خبیثه است. برای خطوط سیاه جداکننده نقش ها، از سیاه دانه یا مواد دیگر استفاده می شود. در منابع مختلف مواد دیگری هم ذکر شده است که ممکن است بسته به محل و رسوم متفاوت باشد. در هر حال این مجموعه، معمولا بدون آگاهی از جزییات آن چیزی است که هر ایرانی از سفره عقد انتظار دارد. در واقع کمتر کسی است که معنای جزء به جزء این نهاد ها را بداند، اما این مجموعه یکی از قسمت های اصلی سفره عقد است.

شیرینی:
ظرف های مختلف محتوی شیرینی های گوناگون در درون سفره گذاشته می شوند که تهیه آن نیز به عهده داماد است. شیرینی البته نشانه شیرینی زندگی است. این شیرینی ها عبارتند از: نقل، نبات یا کاسه نبات، باقلوا، نان نخودچی، نان بادامی، سوهان عسلی و نان برنجی. گاهی توت هم در سفره می گذارند.

نان سنگک:
نان به نشانه برکت و نعمت در سفره عقد جای ویژه ای دارد. نان سنگک سفره عقد به سفارش داماد و به اندازه مورد نظر (در حدود ۷۰ در ۳۰ سانتی متر و قطر نیم سانتی متر) پخته می شود. شاطر، نان سفره عقد را با ظرافت و دقت می پزد و از داماد انعام می گیرد. برخی از شاطرها با ابتکار ویژه ای، خمیر نان

سنگک را که معمولاً به شکل سه گوشه است به صورت بته جقه در آورده، روی سنگریزه ی داغ تنور می گسترانند تا خوب برشته شود وروی نان، با خط خوش فارسی و با بهره گیری از زعفران یا دارچین و گاه با آب طلا، عبارت «مبارك باد» را می نویسند.

نان و پنیر و سبزی:
در سفره عقد، همواره ظرفی پر از نان و پنیر ایرانی و سبزی خوردن گذارده می شود و پس از پایان مراسم عقد، به میهمانان لقمه ای از این نان و پنیر و سبزی تعارف می کنند. نان و پنیر و سبزی را به نشانه ی فراوانی و رفاه در زندگی آینده عروس و داماد بر سفره می چینند.

تخم مرغ:
تخم مرغ های پخته را با بهره گیری از رنگ نقره ای یا طلایی، مناسب با دیگر لوازم عقد رنگ آمیزی می کنند و به نشانه زایش و ادامه نسل، در سفره عقد قرار می دهند.

بادام و گردو:
بادام و گردو را هم هماهنك با تخم مرغ ها رنگ آمیزی می کنند و در ظرفی در سفره عقد می چینند. بادام و گردو نیز نشان از فراوانی، زایش و ادامه نسل است.

عسل:
به نشانه شیرینی و شادکامی در زندگی آینده، ظرفی از عسل در سفره عقد قرار می دهند. عروس و داماد پس از خواندن خطبه عقد و اجرای مراسم عقد رسمی، با نوك انگشت کمی عسل به دهان یکدیگر می گذارند تا زندگی

مشترک را شیرین کام آغاز نمایند.

کله قند:

دو کله قند کوچک مخروطی را که هر یک در یک دست به راحتی جا می گیرد، در پارچه ای چون حریر یا تور می پیچند، به طوری که سطح زیرین آنها پوشیده نیست. در طول مراسم عقد، پارچه ای چهار گوشه از ابریشم یا ساتن یا حریر به رنگ سفید در حدود نیم متر در یک متر و نیم بالای سر عروس و داماد نگاه می دارند و خانم یا خانم هایی از نزدیکان، به نوبت پایین دو مخروط قند را به یکدیگر می سایند، به طوری که گرده شیرین قند روی این پارچه می ریزد که البته نشانه باریدن شیرینی بر این زندگی جدید است.

گل:

اطراف سفره عقد را به فراوانی با گل های گوناگون، از جمله گل سرخ قرمز رنگ، مریم، یاسمن و گل های دیگر فراخور فصل، تزیین می کنند. از گل سرخ که نشانه عشق و دلدادگی است و گویا خارهای گل سرخ نیز نشانه دردها و تلخی هایی است که کم و بیش درزندگی رخ می نماید، بیشتر استفاده می شود. از سایر گل ها به سبب زیبایی و بوهای خوش بهره می گیرند تا مراسم را غرق خوبی و خوشبویی کنند.

گلاب و گلابدان:

گلابدان ظرف زیبایی از بلور یا فلز است که محتوی گلاب است و به خوشبو کردن مراسم کمک می کند. در گذشته رسم بود که میهمانان از گلاب سفره عقد به نشانه خوش یمنی به دست و روی خود می زدند. امروزه از گلاب و گلابدان تنها به عنوان سنت استفاده می شود.

سوزن و نخ:
یک سوزن و هفت رشته نخ، به رنگ های مختلف نیز در سر برخی از سفره ها ی عقد دیده می شود. این نهاد، یادگار دوران باستان است. در آن زمان در هنگام عقد، کمربند مقدس (کشتی) عروس و داماد را به هم گره می زدند یا به هم می دوختند که نشانه یکی شدن دو نفر بود. گویا در طول زمان، کم کم به اقتضای اجتناب از ذکر پایه زرتشتی این نهاد، تفسیر دیگری برای آن ارائه کرده اند و آن را به عنوان دوختن زبان و دهان هر کسی که نیت بدی درباره عروس یا داماد داشته باشد، ذکر کرده اند. نهاد کهن تر، پرمهرتر و برتر و زیباتر و پرمعناتر است. در فرهنگی که احترام به دیگران یکی از ویژگی های مهم اخلاقی آن است و به ویژه در مراسمی به شیرینی و نیکی پیمان زناشویی، نیازی برای ابراز خشونت وجود ندارد.

منقل آتش:
منقل کوچکی با ذغال افروخته که برای سوزانیدن اسفند و کندر برعلیه ارواح خبیثه و رفع بلا و چشم ناپاک و نیت بد، از آن استفاده می شود.

دیوان حافظ و کتاب دینی:
بسته به عقاید خانواده های مختلف، دیوان حافظ که مظهر عشق در فرهنگ ایرانی است و یا کتاب دینی را در سفره عقد می گذارند. از زمانی که دین اسلام، دین رایج بیشتر مردم ایران شد، قرآن به عنوان کتاب مقدس به سفره عقد راه یافت. پیش از آن، کتاب اوستا معمول بود که هنوز هم ایرانیان زرتشتی ازآن بهره می گیرند. برخی از خانواده ها به همراه کتاب دینی خود، دیوان حافظ را نیز در کنار آن قرار می دهند.
باید توجه داشت که برخی از این جزییات موجب برخورد بین خانواده ها نشود. بسیاری از خانواده ها، به ویژه در مورد کتاب دینی حساس هستند.

هرچیز که نشان از عشق دارد و همراه با آرزی نیکبختی است، باید مورد قبول باشد.

محل نشستن عروس و داماد:
عـروس و دامـاد روی دو مخدّه یـا چهارپایه کوتاه که در برابـر آیینه و در کناره پایـین سـفره عقـد قرار مـی گیرد، می نشـینند، به گونـه ای که بتواننـد تصویر خویـش و یکدیگـر را در آیینـه ببینند. برخـی به جای مخده از صندلی اسـتفاده می کنند که البته چندان سنتی نیست، اما شاید راحت تر باشد.

لباس عروسی:
تـا آنجا که بررسـی مراسـم ازدواج در زمان های قدیم نشـان مـی دهد، لباس سفید عروس که در حال حاضر به تقریب د ر تمام دنیا مورد استفاده است، در ایران قدیم مرسـوم نبوده اسـت. نمونه ای از لباس های رنگارنگ عروسی در بخش عروسی زرتشتی همین کتاب آمده است. اما امروزه در ایران نیز مثل تمام دنیا، لباس سفید عروسی مرسوم است و عروس های ایرانی مثل هر عروسی در جهان، نسبت به زیبایی و آراستگی لباس خود حساس هستند.
بـه نظر می رسـد که لباس دامادهـا در هر دوره زمانی، لبـاس رایج همان زمان بوده اسـت. بی تردید دوختن یك دست لباس نو، برای مراسم ازدواج بخشی از رسـم و آیین بوده اسـت. (لباس فراك و امثال آن که در غرب مرسوم است، در ایران رسم نبوده و نیست)
در مراسـم ازدواج زرتشـتیان در هنـگام گواه گیری (عقـد)، داماد یك پیراهن نـازك کتانـی گشـاد و سـفید به نام «سـدره» بـر روی لبـاس معمـول خویش می پوشـد و روی آن کمربند می بندد. (برای آگاهی بیشـتر نگاه کنید به بخش دوم یا چهارم این کتاب).

در عروسی پارسیان هند، (ایرانی های زرتشتی که در اثر حمله اعراب از ایران به هندوستان کوچ کردند)، از واژه «سایه» برای لباسی شبیه به سدره استفاده می شود.اما در حال حاضر و در ایران امروز، لباس داماد کت و شلوار معمولی است کــه به عنوان لباس دامادی از ســوی خانواده ی عروس بــرای داماد تهیه می شود.

درباره مفهوم نمادین لباس عروس و رنگ سـفید آن یادآوری شــده اسـت که رنگ سفید، نشـانه پاکی و چین های دامن آن نشانه پر راز و رمز بودن و در پرده بـودن اسـت. در هـر حـال تفاوت هـای انـدك در زمینه لباس عروس و تور عروسی قابل قبول است.

پیمان زناشویی (مراسم عقد):

مراسـم عقد بیشـتر پس از نیمروز و نزدیك غروب آفتاب انجام می شــود. در برخی قسـمت های ایران رسـم است که نخست عروس در محل خاص کنار سـفره می نشیند و سپس داماد وارد می شود،تا نخستین تصویری که داماد در آیینه می بیند، چهره عروس باشد. در بخش های دیگر، داماد نخست در کنار سـفره عقد می نشیند و این نشـان دهنده احتـرام، اشـتیاق و دلبسـتگی او به عـروس اسـت. این ترتیب به نظر زیباتـر می آید. به نشـانه احترام، داماد در سـمت راسـت عروس می نشیند. جایگاه عروس در سمت چپ داماد است که نشـان از نزدیکی به قلب اوست. مردی روحانی و یا کسی که اجازه رسمی برای جاری کردن خطبه عقد را داراسـت، مراسـم رسـمی عقد را انجام می دهد. درطول مراسـم عقد، سـاییدن دو مخروط قند بر روی پارچه ابریشمی یا سـاتن که بالای سـر عروس و داماد نگاه داشـته شـده اسـت، ادامه می یابد. این کار به وسیله خانمی شـوهردار و خوشبخت که از فامیل یا دوستان نزدیک اسـت، انجـام می شـود. بـارش ذرات ریز قند بر روی پارچه نشـانه شـیرینی

زندگی است. گاهی چند نفر در ساییدن قند نوبت عوض می کنند. مرد روحانی یا مقام رسمی، که از پیش از داماد وکالت گرفته است، مراسم را با پرسش از عروس آغاز می کند که آیا داماد را به همسری می پذیرد. این پرسش معمولا سه بار تکرار می شود. در بار نخست و دوم عروس از پاسخ دادن اجتناب می کند و بار سوم، بسیار آرام و کم صدا پاسخ می دهد: «بله». گفته می شود که نگفتن «بله» در مرتبه نخست و دوم، نشانه آن است که عروس با تامل کافی و درك کامل و اندیشیدن زیاد، وارد پیمان زندگی مشترك می شود. البته وقار و ناز دخترانه هم چاشنی سکوت در پاسخ به پرسش های بار اول و دوم هست.

موافقت رسمی داماد برای قبول عروس به همسری، قبل از شروع این مراسم گرفته شده است. بعد از «بله» گفتن عروس، مقام روحانی یا رسمی، عبارت های ویژه خطبه ی عقد را ادا می کند و زن و مرد را متعلق به یکدیگر و زن وشوهر اعلام می دارد.(۱) بر اساس قوانین مدنی ایران، دو شاهد نیز مدارك رسمی را امضا می کنند.

در این مرحله، معمولا (ولی نه همیشه) عروس و داماد یکدیگر را می بوسند و سپس با نوك انگشت کمی عسل در دهان یکدیگر می گذارند و سپس یك نقل در دهان یکدیگر می گذارند. دوستان و بستگان مخلوطی از سکه های طلا و نقره بر سر آنان می بارند. سپس هدایای عروسی که بیشتر جواهرات است از سوی نزدیکان و به ترتیب اهمیت درجه و نسبت خانوادگی به آنان اهدا می شود. معمولا جشن مختصری همراه با موسیقی و رقص های شاد ایرانی در محل عقد کنان انجام می شود. سپس اگر مراسم عروسی در محل دیگری باشد، همگی محل را ترك می کنند تا برای مجلس و مراسم عروسی آماده شوند.

---

(۱) بنا بر احکام اسلامی، برای جاری ساختن خطبه عقد، دو نفر، یکی از سوی داماد و دیگری از سوی عروس وکالت می گیرند تا عاقد بتواند پس از «بله» گرفتن از عروس، صیغه عقد را جاری کند. در واقع «بله» گفتن عروس، موافقت با این وکالت است.

عروس و داماد کله قندها را به عنوان یادبود نگاه می دارند. ناگفته نماند که مراسم عقد، همیشه در خانه عروس انجام می شود.

در صورتی که یکی از دو نفر (عروس یا داماد)غیر مسلمان باشد، قوانین مدنی جاری ایران (چه در امروز و چه در گذشته) ضرورت هم دین شدن را مطرح می نماید. به ویژه در مورد مسلمانان، پیش از مراسم عقد ضرورت گرویدن داماد و یا عروس به دین اسلام ضرورت می یابد. این حکم در مورد داماد جدی تر است، چرا که احکام دین اسلام، ازدواج مرد غیر مسلمان با زن مسلمان را مردود می شناسد ولی در مورد ازدواج مرد مسلمان با زن غیر مسلمان، سخت گیری چندانی نمی کند.

در خارج از ایران در برخی موارد عروس و داماد تنها جنبه قانونی پیمان زناشویی را در مراکز قانونی زناشویی و در حضور مقام قانونی انجام می دهند و سپس در مراسم سنتی پیمان زناشویی شرکت می کنند. به این ترتیب جنبه مذهبی پیمان زناشویی و یا مسئله تغییر مذهب هم مطرح نمی شود، اما مراسم سنتی آیین زناشویی طبق معمول انجام می گردد.

چنانچه مراسم عقد در کشوری بیرون از ایران انجام شود، علاوه بر عقد سنتی ایرانی (چه رسمی و چه مذهبی)، جاری شدن صیغه عقد بر اساس قوانین مدنی آن کشور نیز برای رسمیت ازدواج ضروری است. این کار به دنبال خواندن صیغه عقد سنتی ایرانی، انجام می شود.

جشن عروسی:

برای مراسم عروسی، بیشتر بستگان و دوستان عروس و داماد و خانواده های آنان دعوت می شوند. البته شمار دعوت شدگان همواره بستگی به توانایی مالی خانواده داماد دارد، چون هزینه جشن عروسی به عهده خانواده داماد است. با وجود این، پس از گفتگوهایی در نهایت دو خانواده با هم به توافق می رسند. کارتهای دعوت از مدت ها پیش ارسال می شود. ترتیب پذیرایی و

شام و موسیقی[۱] پیش بینی و قرارهای لازم گذاشته شده است. محل عروسی را نیـز از پیـش انتخـاب کرده انـد. قرار عکسـبرداری (و این روزهـا تهیه نوار ویدیو) نیز گذاشته شده است.
در جشـن عروسـی، بسـتگان نزدیك هدایای خـود را که بیشـتر از جواهرات اسـت به عروس پیشـکش می دهند. دیگران بیشـتر گل و گلدان و نظایر آن را هدیه می کنند. آنان که قصد شرکت در «پاتختی» را ندارند، هدیه ای که بیشتر از لوازم خانگی است به عروس و داماد هدیه می کنند.
جشن عروسی، مراسم پذیرایی مفصل با غذاهای گوناگون، همراه با موسیقی و رقـص اسـت. از کبـاب بره، جواهر پلو، شـیرین پلو، باقالی پلـو با ماهیچه و دیگر غذاهای سـنتی در جشـن عروسـی بهره می گیرند. پس از صرف شـام مفصـل، کیك بزرگـی را به مجلس می آورند. در بالای کیك نهادی از عشـق و ازدواج قرار دارد که بیشتر دو پرنده مانند کبوتر یا پرنده ی عشق یا یك مجسمه عروس وداماد است. چون مراسم عقد و ازدواج بسیار نهادین است، به عقیده نگارنده شـاید اسـتفاده از مجسـمه دو پرنده یا دیگر نهادهای عشـق و دلدادگی از مجسـمه عروس وداماد شایسـته تر باشـد، اما این یك پسـند شخصی است. عروس و داماد آن نهاد رابه عنوان یادگار نگاه می دارند.
همراه با نوای موسـیقی، عروس و داماد دسـت در دسـت یکدیگر با یك کارد بزرگ، نخستین برش کیك را انجام می دهند و کمی از آن را در دهان یکدیگر مـی گذارنـد. با هلهله و دسـت زدن، سـایر میهمانـان در خوردن کیك سـهیم می شوند.
در جشن عروسی، موسیقی و رقص و پایکوبی و آواز ساعت ها ادامه می یابد و زیبایی و شادی و شکوه این روزوشب برای همیشه در خاطره ها می ماند.

(۱)در برخی عروسی ها، اگر خانواده ها به شدت مذهبی باشند یا اگر احیانا یکی از اعضای نزدیك خانواده ها در طول همان چند روز فوت کرده باشد ولی نتوانند عروسی را عقب بیندازند، عروسی بدون موسیقی انجام می شود. این را عروسی «بی سر و صدا» می نامند.

آهنگ های زیادی برای جشـن عروسـی ساخته شده اسـت اما تنها یك آهنگ اسـت که در همه عروسـی ها در لحظه ورود عروس و داماد به مجلس جشـن و همین طور لحظات ویژه دیگر نواخته می شود. نام این آهنگ «مبارك باد» است که متن آن را در اینجا نقل می کنیم:[۱]

«مبارک باد»

همدانیان

بیا برویم، از این ولایت من و تو
تو دست منو، بگیر و من دامن تو
پیچیده شده زلف منو، کاکل تو
این باد صباست که می خورد بر من و تو
بادا بادا مبارك بادا،
ایشالله مبـارك بادا

این حیاط و اون حیاط
می پاشن نقل و نبات
بر سر عروس و دوماد
بادا بادا مبارك بادا،
ایشـالله مبارك بادا

(۱) تلاش کردم تا ریشه ی این آهنگ، سازنده و شاعر و تاریخ ساخته شدن آن را بیابم، اما نتوانستم. شاید بعد ها بتوانم اطلاعات بیشتری درباره آن تهیه کنم.

اون یار من است که می رود سر بالا
حرفش نزنین که می خورد بر مارا
چادر بزنین سایه کنین سرها را
آفتاب نخورد شاخه گل رعنا را
بادا بادا مبارك بادا،
ایشالله مبارك بادا
کوچه تنگه، بله، عروس قشنگه، بله
دست به زلفاش نزنین، مرواری بنده بله
بادا بادا مبارك بادا،
ایشالله مبارك بادا

امشب چه شبی است، شب مراد است امشب
این خانه همش، شمع و چراغ است امشب
بادا بادا مبارك بادا،
ایشالله مبارك بادا

گل در اومد از حموم، سنبل در اومد از حموم
شاه داماد رو بگو، عروس در اومد از حموم
بادا بادا مبارك بادا،
ایشالله مبارك بادا

امشب چه شبی است شب وصال است امشب
هنگام وصال خوش خصال است امشب
شمعا تو مسوز که شب دراز است امشب
ای صبح تو مدم که وقت راز است امشب

بادا بادا مبارك بادا،
ایشالله مبارك بادا
عروسی شاهانه، ایشالله مبارکش باد
جشن بزرگانه، ایشالله مبارکش باد
گل به گلستانه،ایشالله مبارکش باد
لعبت مستانه، ایشالله مبارکش باد
بادا بادا مبارك بادا، ایشالله مبارك بادا (۱)

پس از پایان جشن عروسی، رسم بر این است که شیرینی ها و غذاهای باقیمانده به افرادی داده شود که در برپایی مراسم عروسی کمك و خدمت کرده اند و یا بین مستمندان تقسیم شود.

عروس بردن:

عروس و داماد برای نخستین شب زناشویی خود، به میهمان خانه ای که از پیش اتاق برای آن شب تدارك دیده اند و یا به منزل خود می روند. مراسم رسانیدن عروس و داماد به میهمانخانه یا منزل که به «عروس بردن» معروف است، معمولا با همراهی برخی از میهمان ها با کاروانی از ماشین های مختلف و با بوق زدن و چراغ زدن و شادی همراه است. ماشین عروس و داماد را با گل های فراوان می آرایند. کاروان ماشین ها گردشی کوتاه در شهر انجام می دهند و سپس راهی محل موعود می شوند.

هنگامی که آنان به مقصد رسیدند، عروس در لحظه ورود به منزل، ظرف آبی را که در کنار در ورودی گذاشته اند با پا به زمین می ریزد. آب نشانه ی پاکی و پاك سازی خانه و زندگی نوین است. رقابت عاشقانه ای بین عروس و داماد هنگام ورود به منزل رخ می دهد. عروس پایش را روی پاهای داماد می گذارد

(۱) اشعار آهنگ از کتاب ۲۸۰ ترانه دلنشین ایرانی از انتشارات آزاد، لوس آنجلس- کالیفرنیا، صفحه ۲۳۸ گرفته شده است.

و به این ترتیب کدبانو و اختیار دار منزل می شود. اگر آن شب را در میهمانخانه بگذرانند، این مراسم فردای آن روز هنگامی که به منزل خود می روند انجام می شود.

هنگام خداحافظی پدر و مادر عروس، موقعیتی بسیار عاطفی فضا را در خود می گیرد، چون دختر در واقع از خانواده خودش جدا می شود. این لحظه همواره با گریه مادر عروس و خود عروس همراه است.

دست به دست دادن:

رسم است که در لحظات آخر، پدر یا بزرگ خانواده داماد جلو می آید و دست عروس را در دست داماد می گذارد و پیشانی عروس را می بوسد و نقل و نبات روی سر عروس و داماد می ریزد و برایشان دعای خیر می کند و به این ترتیب عروس و داماد را به یکدیگر می سپرد.

حجله:

برپایی اتاق حجله رسمی بسیار زیباست. شاید از نظر عملی، انجام آن این روزها زیاد آسان نباشد، اما با کمی سلیقه، کاری است شدنی و ای کاش در حفظ این بخش از مراسم سنتی نیز کوشا باشیم. برپایی این رسم به این گونه بود که اتاقی را برای عروس و داماد از پیش تزیین و آماده می کردند و آن را با پرده های رنگینی از طاقه های رنگارنگ ابریشم یا حریر که از سقف آویزان می شد و دورادور تخت را می پوشاند، می آراستند. در واقع فضایی رنگارنگ در درون اتاق و با تخت در مرکز آن به وجود می آمد.

دیوارهای اتاق نیز با گل های رنگارنگ تزیین می شد. نور ملایم از چراغ های لاله یا شمعدان ها، روشنایی لطیفی به اتاق می داد. در مجموع فضایی رویایی و خاطره انگیز ایجاد می شد که در درون آن عروس و داماد برای نخستین بار با هم یکی می شدند. این یکی شدن مرد و زن را «زفاف» می گویند.

پاتختی - ماه عسل

ماه عسل هیچ پایه سنتی در آیین ایرانی ندارد و رسمی است که از غرب به ایران آمده است. در واقع از نظر سنتی، نخستین روز پس از عروسی مراسم «پاتختی» است که در منزل خانواده عروس به صورت میهمانی برگزار می شود. داماد به دست بوس مادر زن می آید که به آن «مادر زن سلام» نیز می گویند و در واقع داماد با این دست بوسی، احترام و سپاسگزاری خود را نسبت به مادر عروس ادا می نماید. پس از دست بوسی داماد، سایر میهمانان می آیند و هدیه می دهند. (نگاه کنید به عروسی زرتشتی در همین کتاب). به نظر می رسد که با شرایط امروزی، پاتختی و رشته بران جای خود را به ماه عسل داده اند. این هم رسم بدی نیست. عروس و داماد پس از تمام هیجانات و اضطراب های روزهای پیش از عروسی، به استراحتی چند روزه و خصوصی نیاز دارند تا پس از آن بتوانند زندگی جدید خود را در محیطی آرام شروع کنند. چون فرهنگ بزرگ و غنی ایران زمین توان جذب و پذیرش بسیاری در خود دارد که تاریخ گواه آن است. به این ترتیب ماه عسل به عنوان یک پدیده فرهنگی غربی، وارد مراسم ازدواج ایرانی شده است.

پاگشا - آغاز زندگی نوین

پس از بازگشت از ماه عسل، دید و بازدید عروس و داماد با دوستان و بستگان به مدت چند هفته انجام می شود. این رفت و آمدها با دعوت بستگان و آشنایان آغاز می شود و روشی است که بر اساس آن عروس و داماد به عنوان یک واحد مستقل جدید، در جامعه گام می گذارند و به عنوان یک زوج به جامعه خویشاوندان و دوستان می پیوندند. برگزاری این میهمانی ها از سوی خانواده عروس و داماد که به «پاگشا» معروف است، امکان آشنایی و رفت و آمد خویشاوندان و نزدیکان عروس و داماد را نیز فراهم می سازد و مجموعه خویشاوندی را گسترده تر می کند.

ترتیب زمانی مراسم نامزدی، عقد و عروسی در ایران امروز:

- دیدار، توجه دختر و پسر به یکدیگر
- اطلاع از جانب پسر به خانواده اش
- پیام خانواده پسر به خانواده دختر
- عقیده دختر
- تحقیق درباره داماد و خانواده اش از جانب خانواده عروس
- اگر منفی است پاسخ مودبانه منفی (اطلاع به خانواده داماد) – اگر مثبت است اطلاع به خانواده داماد.
- خواستگاری
- بله بران
- نامزدی (شیرینی خوران)، رد و بدل کردن حلقه های نامزدی
- مجاز شدن معاشرت عروس و داماد
- خرید های عروس و داماد
- قرارهای مربوط به عقد و عروسی
- بردن جهیزیه به خانه داماد
- عقد کنان در منزل خانواده عروس (سفره عقد)
- جشن عروسی در منزل داماد یا سالن های ویژه
- دست به دست دادن، حجله، پیوستن عروس و داماد به یکدیگر
- ماه عسل، پاتختی.
- پاگشا

بخش دوم

پیمان زناشویی زرتشتی
در قرن‌های اخیر

نقاشی: ناصر اویسی
از کتاب Ovissi, Sufi Art
بخشی از تابلو نقاشی صفحه ۲۳

برای اینکه ریشه های مراسم ازدواج ایرانی را بررسی کنیم با رویکرد به «تاریخ شفاهی» در مورد ازدواج کهن ایرانی، از دوست همزادم «دکتر فرزاد نامداران» خواستم تا آنچه را که در باره عروسی زرتشتی در دسترس دارد برایم جمع آوری کند. او نیز از مادرش کمك خواست. آنچه در اینجا می خوانید نوشته خانم «گوهر نامداران» است. این نوشته با خلوص نیت فراوان نوشته شده است و آنقدر توصیفی و تجسمی است که ای کاش فیلمساز بودم تا می توانستم همچون یك سناریوی فیلم از آن بهره بگیرم.
برای ساده تر شدن متن، تا جای ممکن نوشته ایشان با حفظ شیوه نگارش، ویراسته و کوتاه شده است. من خود را، از صمیم دل رهین منت این بانوی بزرگوار می دانم.

بیژن مریدانی

نمونه دستنوشته خانم نامداران

تاریخ اول ژانویه ۲۰۰۱ مطابق ۱۰ دی ۱۳۷۹ شمسی

من گوهر نامداران (کشاورزی) پسرم فرزاد نامداران از من خواسته که مراسم عروسی زرتشتیان را هرچه بیاد دارم از قدیم بنویسم. برای من کار مشکلی بود — ولی سعی کردم چند سطری نوشتم.

من در طول عمر ۸۰ ساله ام آنچه بیاد دارم و از مادر بزرگم شنیدم مینویسم.
ممکن است اشتباه یا کم و کسری داشته باشه، مرا ببخشید.

گوهر نامداران

یادداشتی درباره زرتشتیان

در طول عمر خودم آنچه به یاد دارم و دیده ام و قبل از آن هم هر چه شنیده ام، می نویسم.

البته می دانید زرتشتیان ریشه قدیمی دارند.(۱) پس از حمله اعراب به ایران(۲) یك گروه از زرتشتیان فرار می کنند و به هندوستان می روند که آنها را پارسی می گفتند. آنها در هندوستان آزاد زندگی می کردند. ولی گروهی که در ایران در یزد و کرمان بودند متاسفانه آزاد نبودند و به سختی زندگی می کردند و مورد اذیت و آزار برخی از مسلمانان قرار داشتند. زرتشتیان در زمان قاجاریه و سلطنت ناصرالدین شاه(۳)، کم کم اجازه داشتند به تهران بیایند، آن هم فقط برای رعیتی و باغبانی. آنها می بایست به حکومت وقت «جزیه»(۴) یعنی مالیات زیاد بدهند و اجازه نداشتند وارد جماعت مسلمانان شوند. حتی نمی توانستند کارگر مسلمان استخدام کنند. همگی در خانه هایی که خودشان ساخته بودند در یك محله زندگی می کردند. تا اواخر سلطنت ناصرالدین شاه یك نفر از پارسیان هندوستان به نام آقای «مانوکجی» به تهران آمد و نزد ناصرالدین شاه رفت. آنها با وعده و تعهد قرار می گذارند که مالیات را مانند

---

(۱) سابقه زرتشت به روایتهای مختلف بین ۳۵۰۰ تا ۹۰۰۰ سال بوده است. (رجوع کنید به منابع)

(۲)تاریخ حمله اعراب به ایران حدود ۱۳۷۰ سال قبل بوده است.

(۳)زمان سلطنت ناصرالدین شاه ۱۲۶۴ تا ۱۳۱۳ هجری قمری، مطابق با ۱۲۲۶ تا ۱۲۷۴ شمسی مطابق به ۱۸۴۷ تا ۱۸۹۶ میلادی بوده است.

(۴)جزیه مالیاتی بود اضافه بر مالیات معمولی. این مالیات اضافی تحمیلی را افرادی که نمی خواستند مسلمان بشوند به حکومت می پرداختند.

مسلمانان از در آمدشان بدهند. همچنین از طرف پارسیان، مدرسه پسرانه و دخترانه درست کردند که فقط بچه های زرتشتیان در آن تحصیل می کردند و قطعه زمین بزرگی خریدند که در آن نیایشگاه و دبیرستان ساختند که هنوز هم وجود دارد.

ارباب «جمشید جمشیدیان» نماینده زرتشتیان تهران، تاجر بود و از طریق هندوستان یا روسیه مال التجاره به ایران می آورد. او تجارتخانه بزرگی داشت که عده زیادی از زرتشتیان در آن کار می کردند. متاسفانه ناصر الدین شاه کشته شد[۱]. ارباب جمشید هم ورشکست شد. مردم مشروطیت می خواستند. در زمان رضا شاه پهلوی[۲] یاغیان سرکوب شدند و نظم و انضباط برقرار شد. زرتشتیان به مجلس نماینده فرستادند و کم کم به حق و حقوق خود رسیدند.

زرتشتیان به واسطه موقعیت زمانی و مکانی در مضیقه بودند. همان طور که گفته شد، زرتشتیان بیشتر در یزد و کرمان زندگی می کردند و مجبور بودند تمام مایحتاج خود را خودشان تهیه کنند و محصولات زمینی و درختی و دامداری مثل نان و لبنیات و گوشت را بین همدیگر رد و بدل کنند.

پس از مدتی پارچه بافی و قالی بافی و از جمله کارهای دستی و تهیه نخ ابریشم به نام «کج» را که با آن پارچه ای درست می کردند که آن را تافته می گفتند، همچنین دستمال سبز چهارگوش بزرگ که در قدیم وقتی مردها خرید می کردند (از میوه گرفته تا هر چه قابل حمل باشد) آن را توی دستمال می بستندو به خانه می آوردند.

در نتیجه محدودیت جغرافیایی و نزدیك بودن زندگی ها، ازدواج ها بیش و کم در بین آشنایان و خویشان زرتشتی یزد و کرمان انجام می شد.

---

(۱)تاریخ قتل ناصرالدین شاه ۱۸۹۶ میلادی

(۲)تاریخ به سلطنت رسیدن رضا شاه۱۳۰۴ خورشیدی، معادل ۱۹۲۵ میلادی

پیمان زناشویی زرتشتی در قرن های اخیر

آشنایی

وقتی سن دختر از ۱۵ سال و پسر از ۱۸ سال به بالا می رسید، انتخاب همسر، مخصوصا برای دختر ها به دوش پدر و مادربود. پسر ها هم شخصا نمی توانستند خواستگاری کنند. خواستگاری توسط پدر و اگر پدر در قید حیات نباشد، توسط بزرگ خانواده انجام می شد. به این صورت که اول پدر پسر می رود و از پدر دختر خواستگاری می کند بعد پدر با مادر تحقیق درباره فامیل، کسب و کار و هنر و تحصیلات را که اهمیت زیاد داشت، شروع می کردند. بعد از چند روز اگر موافق بودند به دختر می گفتند. عموما هم دختر طوری تربیت شده بود که هر چه پدر و مادر می گفتند، موافقت می کرد[۱].
ناگفته نماند که پدر و مادر دو طرف اگر فامیل باشند، دختر و پسر همدیگر را دیده اند و می شناسند، ولی اگر ندیده باشند مجلسی ترتیب می دهند و به هم معرفی کرده تا همدیگر را از نظر ظاهری ببینند. پدر وقتی موافقت دختر را

---

(۱) با توجه به منابع متعدد به نظر می رسد که دست کم حق قبول یا رد این انتخاب با دختر بوده است. به عنوان نمونه نگاه کنید به زن در ایران باستان، هدایت الله علوی، انتشارات هیرمند، جلد دوم، ص. ۸۳

گرفـت، بـه پـدر پسر موافقت خود را خبر مـی دهـد و بعـد به فامیل مـی گوینـد و نامزدی آغاز می شود.

مراسم بله بران (گل و نار)

پس از چند روز، مادر و خواهر پسر با یك كله قند و دستمال سبز و انار و یك شـاخه سرو كه همیشـه سبز است و قدری گل آویشـن برای بله بران به منزل دختر مـی رونـد كه ما زرتشـتیان بـه آن مـی گوییـم «گل و نار» یعنی بله بران. البتـه بـدون تشـریفات. حـــال معنی كله قند و دستمال سبز و انار و گـل و گـــل آویشن را بگوییم.

كله قند را كه در كاغذ سبز مـی پیچند، به معنای شـیرین كامی و انار هم كه میوه بهشـتی است و شاخه سرو یعنی همیشه سبز و خرم باشید. گل آویشن كه گل صحرایـی خوشبو و معطری مـی باشـد را خشـك مـی كنند و با بـادام، نقل و سـنجد مخلـوط مـی كنند كه موقع جشـن و خوشـحالی بـه هم تعـارف كنند. دستمال سبز، همان دستمالی است كه از ابریشم خالص در یزد بافته می شود.

نامزدی:

برای نامزدی، بزرگ فامیل هر دو طرف با هم قرار نامزدی را مـی گذارنـد تا در یك روز خوب انجام شـود. البته همه مـی دانند ما زرتشتیان هر روز از ماه را به نام «امشاسپندان» و «ایزدان» داریم، پس همه روزها خوبند.

نامزدی را زرتشـتیان شـیرینی خوران هم می گویند. مخارج نامزدی با خانواده دختر است و مخارج عروسی با خانواده پسر. در مورد مراسم و هدایا ، خانواده ها به اندازه خودشـان با هم موافقت مـی كنند كه تا چقدر هدایا به هم بدهند و شـمار میهمان هایـی كه دعوت مـی كنند، همه در شـیرینی خوران تعیین مـی شود. مرحلـه اول تهیـه حلقـه و انگشـتر اسـت. یـك روز بـا قـرار قبلـی، دو نفر از خانـم هـای طرف دخـتر و دو نفر از طرف پسـر، با دختر و پسر بـرای خرید و

اندازه حلقه و انگشتر برای طرفین و پارچه و کیف و کفش با سلیقه دختر و پسر به بازار می روند. این خرید ها ممکن است چند روز طول بکشد. اول وسایل خریداری شده از طرف پسر، که حلقه و انگشتر و اگر بخواهند دستبند طلا را هم شامل می شود و سه قواره پارچه که یکی از ابریشم سبز می باشد و کیف و کفش که در کیف سکه طلا و نقره می گذارند و یك شاخه نبات (یا به شکل کاسه به نام کاسه نبات)، چند کله قند که به پدر و مادر و برادرو و خواهر می دهند. البته با قرار قبلی، زیرا خانواده عروس هم همین مقدار قند تعارف می کند.

یك سینی پر از نقل، باقلوا، نان برنجی و شیرینی های دیگر، هر چه بخواهند فراهم می کنند و در مجمعه که از سینی بزرگ تر است می گذارند که تا چند ظرف روی آن قرار می دهند. مجمعه را یك نفر قوی بلند می کند. برخی آن را روی طبق می گذاشتند. اعیان و اشراف و شاهزاده ها، چند طبق وسایل نامزدی و کاسه نبات و چیزهای دیگر تهیه می کردند و آن را می گفتند «خنچه». بیشتر زرتشتیان روی سینی را با پارچه سبزی می پوشاندند.

وقتی روز نامزدی معلوم شد و خانواده عروس میهمان ها را دعوت کردند، داماد و پدر و مادر و چند نفر از نزدیکان، با وسایل آماده شده به منزل عروس می روند و دم در، لاله و شمع را روشن می کنند. یك نفر جوان با لاله و شمع روشن وارد خانه می شود. از طرف عروس هم منقل آتش و اسفند و کندر را که آماده کرده اند، می آورند. جوانان با نواختن دایره، با هلهله و «هابیرا هابیرا»، گویان خیر مقدم می گویند. بعد از لاله، سبد گل می آورند.

بعد داماد، با پدر و مادر و خواهر و برادر وارد می شود. مادر عروس گل آویشن به سر و شانه داماد می ریزد. گاهی با گل، سکه های مبارك باد نقره نیز می ریزند. سپس سینی های هدیه و شیرینی را می آورند و در اتاق و در محل مخصوص، روی میز می گذارند. باز همین طور هابیرا هابیرا گویان و دست زنان با شادی همه وارد می شوند و در جای خود می نشینند. البته داماد روی

صندلی که قبلا حاضر کرده اند می نشیند.

پس از چند دقیقه، مادر داماد بلند می شود و یك كله قند با برگ سبز به پدر دختر و یك كله قند به مادر دختر می دهد و از آنها رخصت می گیرد، یعنی اجازه می گیرد که عروس را بیاورند. چند نفر دختر جوان می روند و با شادی و هابیرا هابیرا و آواز و دایره زدن، عروس را که در اتاق دیگر حاضر و آماده نشسته همراه می آورند و پهلوی داماد می نشانند. آن وقت مادر داماد بلند می شود و یك كله قند یا شاخه نبات و گل آویشن به دست عروس می دهد و او را می بوسد. این را نگفتم که پدر و مادر و فامیل داماد طرف داماد می نشینند و فامیل عروس در طرف عروس. بعد مادر داماد روی عروس را می بوسد. بعد سینی حلقه و انگشتر را همراه با دیگر محتویات آن می آورند و روی میزی که جلو عروس و داماد است می گذارند. پدر داماد حلقه انگشتر را بر می دارد و به داماد می دهد تا به دست عروس کند. همه هابیرا هابیرا و كف زدن و شادی خود را ابراز می کنند. از طرف دختر هم حلقه انگشتری که حاضر کرده اند در سینی، همراه با یك قواره پارچه پشمی مردانه یا پیراهن با دکمه سر دست طلا و کیف بغلی مردانه که گاهی داخل کیف چاقو و پول نقره و طلا هم گذاشته اند، می آورند. اگر داماد النگو یا جواهر دیگر بدهد، عروس هم ساعت مچی مردانه می دهد. همه اینها با موافقت یکدیگر از قبل آماده شده است. وقتی سینی را می آورند، پدر عروس حلقه و انگشتر را به دختر می دهد تا به دست داماد کند، سپس نقل تعارف داماد می کنند و داماد نقل به دهان عروس می گذارد. بعد کله قند ها و هدایای برادرها و خواهر ها رد و بدل می شود.

بعد شربت می آورند. اول لیوان شربت را جلو داماد می گذارند. او شربت را به عروس می دهد و بعد خودش می خورد. در این موقع همه هابیرا هابیرا می گویند و کف می زنند. سپس برای مدعوین شربت گلاب و آیینه می آورند و نقل تعارف می کنند. بعد شیرینی تعارف می کنند و پذیرایی شروع می شود.

آوازهای محلی می خوانند و می رقصند. میهمان ها دایره می زنند و جوانان دسته جمعی می رقصند. البته باید بگویم در قدیم در این طور مجالس بیشتر خانم ها می رقصیدند و مردها کمتر داخل می شدند، اما اگر هم داخل می شدند مانعی نداشت. خواهی نخواهی خود به خود مجلس مردانه و زنانه می شد. یك هفته بعد از مراسم نامزدی که داماد و فامیل او به منزل عروس می روند، آن ها هم به همان شکل به منزل داماد می روند، ولی عروس نمی رود. فامیل عروس وسایل را بر میدارند و با همان تشریفات به منزل داماد می برند. البته تشریفات به مفصلی تشریفات خانه عروس نیست.

پاگشا:

یك هفته بعد، پدر عروس، داماد و خویشاوندان را دعوت می کند و شام می دهد. این مراسم را پاگشا[1] می گویند. داماد هم همان دستمال سبز را که تعریف کردم، پر از نقل و نبات و پول و طلا و هر چه بخواهد، می کند و با خود برای عروس می برد. بعد از پاگشا، داماد هر وقت بخواهد می تواند به منزل عروس برود و با هم بیرون بروند و برگردند، یعنی عروس و داماد اجازه دارند با هم رفت و آمد کنند.

دوران نامزدی برای آن است که عروس و داماد به اخلاق و عادات یکدیگر آشنا شوند و اگر ایرادی یا اشکالی دارند، خودشان برطرف کنند و اگر نه به پدر و مادر می گویند. اگر آنها هم نتوانستند کمك کنند حق جدا شدن دارند. یعنی در دوران نامزدی عروس و داماد می توانند جدا شوند ولی وقتی عروسی

(۱)به این ترتیب به نظر می رسد که پاگشا پس از نامزدی ولی قبل از عروسی انجام می شد و بیشتر به منظور وارد کردن داماد به حریم خانه عروس آینده بود. امروزه پاگشا مترادف میهمانی هایی است که بعد از عروسی و برای وارد کردن عروس و داماد به عنوان یك واحد مستقل جدید به جامعه انجام می شود.

کــردند حق جدا شــدن ندارند.[1] در قدیم به دخترها می گفتند چشــم هایتان را باز کنید. با لباس سفید به خانه بخت می روید و با لباس سفید، یعنی کفن بیرون می آیید.

جهیزیه:

یکی از کارهای مهم خانواده عروس در تهیه و تدارک عروسی، آماده کردن جهیزیه است. من از مادر بزرگم شنیدم که مرسوم بود عروس برای شروع زندگی نوین، هر چه از لوازم خانه لازم است بـه عنوان جهیزیه با خود به خانـه ی داماد می برد، مثل رختخواب، فرش، وسایل پخت و پز، پوشاکی برای خودش و غیره.

در قدیم که تخت خواب و میز و صندلی نبود و همه روی زمین فرش شـده می نشستند و دور تا دور اتاق مخده یا پشتی می گذاشتند و تکیه می دادند و یا استراحت می کردند. رختخواب را شـب پهن می کردند و صبح جمع می کردند. رختخواب شامل تشك و لحاف، متكا و بالش است. ملافه و روبالشی و رومتكاها گلـدوزی شـده بـود. وسـایل غـذا خـوری شـامل چند دست سفره های بزرگ و کوچك گلدوزی و سوزن دوزی شده کار دست عروس بود که هر چه بیشتر و بهتر بود، هنر او را نشان می داد. هنگام غذا خوردن سفره را روی زمین پهن می کردند و آفتابه ولگن را دم در می گذاشتند. آفتابه ولگـن از مس یا برنج قلمکاری شـده و خیلی زیبا سـاخته می شـد. وقتی که

---

(۱) طبق کتاب زن در ایران باستان (هدایت الله علوی)، مساله طلاق در آیین زرتشتی مجاز دانسته شده است. به همین ترتیب مهریه و چیزی شبیه شیر بها نیز مورد مذاکره قرار می گرفت. در هر حال شرایط طلاق بسیار مشکل بود، و در عمل جز در موارد استثنایی طلاق ممکن نبود و به همین دلیل مهریه در عمل مطرح نبود. بعد ها در دوران پهلوی، با دخالت و تصمیم دادگاه حمایت خانواده و به حکم دادگاه طلاق ممکن شد. (زن در ایران باستان، هدایت الله علوی، انتشارات هیرمند، چاپ دوم، ص. ۸۴ و ۹۰ و ۹۱)

میهمانی می دادند آن را نزد میهمان ها می بردند تا دست هایشان را بشویند و با حوله خشك كنند.
از وسایل دیگر جهیزیه، تنگ شربت خوری بود که از کریستال رنگی و گلدار درست شده بود که آن را «بارفتن» می گفتند که واقعا زیبا بود و از چین می آوردند و بسیار قیمتی و گران بود و از مادر به دختر می رسید. همچنین لوازم چینی ناهار خوری، سماور و قوری و استکان و نعلبکی با وسایل کامل بود.
وسایل آشپزخانه شامل دیگ مسی بزرگ و کوچك سفید کرده و جام و کاسه و سینی بزرگ و کوچك، چند عدد آبکش و ماهی تاوه و سیخ کباب، پیش بند و دستگیره و چند عدد چوب خمیر پهن کردن را شامل می شد، زیرا در قدیم نان و آش رشته زیاد می پختند.
وسایل خیاطی نیز نخ و انواع و اقسام سوزن، انگشتانه، قیچی بزرگ و کوچك را شامل می شد. وسایل آرایش و حمام و لباس خواب و حوله و شانه آنچه لازمه هر کس بود می خریدند.

پوشاک:
در قدیم به جای لباس سفید عروسی، لباس های دیگری بود. من یادم هست مادرم یك لباس قدیمی به من داد که آن را پیراهن «تیر تیر»[1] می گفتند، یعنی

(۱)لباس تیرتیر لباسی بود که تا زیر زانو می آمد. زیر آن شلوار گشادی می پوشیدند که از بخش زانو به پایین آن از ترمه بود و بخش زانو به بالای آن از اطلس. دور دامن آن یراق دوزی بود. دامن گشاد و بالا تنه تنگ بدن بود. بخش تیر تیر آن که از باریکه های اطلس به هم دوخته درست شده بود، تا زیر سینه می آمد. در آن دوران روبنده نداشتند، سربندی که از پارچه ی سفیدی درست شده بود و تا بالای سر را می پوشانید به سر می کردند که زیر گلو تکمه می خورد و وصل می شد و کناره هایش روی شانه ها می افتاد.

از بالا به پایین یك تیر اطلس قرمز، یك تیر سبز و یك تیر آبی بود كه به هم دوخته بودند و دور آن را یراق دوزی كرده بودند.

یك روسری بلند كه از وسط دور صورت می گرداندند و از پشت به بلندی پشت پا می رسید، از اطلس بسیار زیبا كه پارچه آن را از چین می آوردند تهیه می كردند. از یك لچك كه كلاه كوچكی است، یا از سربند برای نگهداری موی سر استفاده می كردند كه جلوی سر تا زیر گلو می پوشیدند و روسری بلند روی آن به سر می كردند. دور لچك هم یراق دوزی شده بود و سكه های طلا از آن آویزان بود كه از مادر به دختر می رسید و نسل به نسل نگهداری می شد. شلوار گشادی از پارچه ترمه گران قیمت و سنگین تهیه می شد. كت كوتاهی روی لباس می پوشیدند به نام «نیمس» كه زیباتر از همه و از پارچه زر دوزی شده از اطلس سبز و یا قرمز كه زر دوزی در خود پارچه بافته شده تهیه می شد. تكمه هایی از اشرفی و سكه طلا به آن دوخته می شد. رشته های نازكی از طلا و نقره در یراق بافته شده به صورت نوار برای تزیین لباس به كار می رفت كه بسیار قیمتی بود.

در قدیم كه پاكت و جعبه نبود، به جای آن از كیسه ای كه خودشان می دوختند و «دولوگ» نام داشت، استفاده می شد. این كیسه از اطلس رنگی یا سفید دایره مانندی درست شده بود كه دور آن را با قیطان می دوختند. به طوری كه وقتی قیطان را می كشیدند، جمع و بسته می شد. این هم در نوع خود زیبا بود. در قدیم از «دولوگ» ها برای نگهداری وسایل خیاطی یا مواد خوراكی مثل آجیل و نقل استفاده می كردند. گاهی روی دولوگ ها را سوزن دوزی می كردند.

حنا بندان:

یك روز قبل از عروسی روز حنا بندان و حمام بود. حنا پودر سبز رنگی است كه چون آن را خیس كنند، رنگ قرمز به خود می گیرد و آن را روی ناخن های

دست و پا و موی سر می گذاشتند که مو و ناخن را قرمز و زیبا جلوه دهد. چند نفر از خانم ها از نزدیکان خانواده عروس و داماد به منزل عروس می آمدند و با دف و دایره و رقص و آواز مراسم حنا بندان را با شادی برگزار می کردند.

ساقدوش:

معمولا در طول همه تشریفات مربوط به عقد و عروسی، برادر بزرگتر یا یکی از بستگان نزدیک و با تجربه به عنوان مشاور و مربی داماد را همراهی می کند. به این فرد ساقدوش می گویند.

روز عروسی:

روز عروسی و پیش از ناهار، از طرف خانواده داماد چند نفر از خانم های جوان لباس عروس را به خانه عروس می آورند. در یک سینی جداگانه، وسایل آرایش، لباس زیر، کیف، کفش و جوراب و سکه های طلا و نقره در درون کیف و گل آویشن می گذاشتند و دستمال سبز را روی آن می انداختند و می آوردند. در خانه عروس، خانواده عروس از آن ها با شربت و شیرینی و ناهار پذیرایی می کردند. بعد از ناهار، عروس را آرایش و آماده رفتن به خانه داماد می کردند. از طرف دیگر، همان روز برادرها یا عموها و نزدیکان جوان، لباس داماد و یک سینی شامل پیراهن با تکمه سردست طلا و کیف ،و کفش و جوراب و سکه های طلا و نقره در درون کیف مردانه و یک چاقوی دسته استخوانی کوچک (که از هندوستان می آوردند) با گل آویشن برای داماد می بردند. البته قسمت مربوط به داماد بدون تشریفات بود ولی کله قند ها و گل آویشن زیادی از سوی نزدیکان دو خانواده هدیه می شد.

بردن عروس برای گواه گیری:

البته در زمان های مادر بزرگ من و پیش از آن ها، همان لباسی را که قبلا شرح دادم بر تن عروس می کردند. عروس پیراهن را می پوشید با جواهرات زیاد در گردن و گوش. یك شال کشمیری بلند و سفید (که آن را هم از هندوستان می آوردند) روی شانه عروس می انداختند. اگر راه دور بود، عروس را با اسب و اگر در همان محله بود، پیاده به خانه داماد می بردند. این کارها با هابیرا گفتن و دایره زدن و رقص و شادی همراه بود، ولی بعد ها در زمان ما در تهران، لباس سفید و تور و گل سر و تاج عروس رسم شد و برای بردن عروس از درشکه استفاده می کردند. برای بردن عروس از طرف خانواده داماد، خواهران و نزدیکان جوان او با چند درشکه می آمدند. درون درشکه اول که با گل و سبزه تزیین شده بود، برادر عروس با لاله روشن در دست در جلو می نشست. خواهر عروس و خواهر داماد هم همراه عروس سوار می شدند. در درشکه بعدی مادر عروس با آیینه و گلابدان به دست با چند نفر از نزدیکان سوار می شدند. بقیه با درشکه های بعدی به منزل داماد می روند. اول برادر عروس با لاله و شمعدان روشن وارد می شود. مادر داماد و دیگران که در انتظار ورود عروس بودند با منقل آتش و اسفند و کندر، به جلو می رفتند. وقتی که عروس وارد می شود، سکه های نقره و گل آویشن به سر عروس می ریزند. همراهان با سر و صدا و شادی پول ها را جمع می کنند. بعد مادر داماد یك انگشتر یا گردن بند یا هر چه بخواهد به عروس هدیه می کند. این را می گویند «پا انداز». عروس را می برند و در جایی مخصوص پهلوی داماد می نشانند. مادر عروس آیینه و گلاب پاش را روی میزی که از قبل آماده شده، جلوی عروس و داماد می گذارد. روی آن میز وسایل «گواه گیری» (عقد) گذاشته شده و یك طرف آن عروس و داماد روبروی موبد می نشینند.

لوازم گواه گیری:

آیینه، لاله یا شمعدان، گلاب پاش پر از گلاب، یک ظرف بزرگ نقل و یک سینی میوه خشک از بادام و پسته و گردو و کشمش و نقل و نباتِ که روی آن را با دستمال سبز رنگی می پوشانند. کتاب اوستای کوچك و «کشتی» [(۱)] و «سدره» [(۲)] که با لباس دامادی می پوشند. یك کله قند بزرگ که با کاغذ سبز و زرد پیچیده شده و یك گلدان پر از گل، یك ظرف برنجی پر از گل آویشن نیز روی میز می گذارند.

گواه گیری:

نخست موبد با لباس سفید و کتاب مخصوص گواه گیری می آید و روبروی عروس و داماد می نشیند. پدر و مادر و بزرگان فامیل در کنار عروس و داماد می نشینند تا شاهد گواه گیری باشند. موبد نیایش مخصوص می خواند و از عروس و داماد «بله» می گیرد. پس از گرفتن بله و دست زدن و هابیرا گفتن، پند مخصوص را به عروس و داماد به زبان «دری» یا فارسی می گوید و یاد آوری می کند که در زندگی چه کارهای خوب و مفیدی انجام دهند و تا می توانند به دیگران کمك کنند و اندیشه نیك و گفتار نیك و کردار نیك داشته باشند و چهار عنصر طبیعت را پاك نگاه دارند (چهار عنصر عبارتند از آب، هوا، خاك و آتش).

---

(۱)کُشتی: بند بافته شده از ۷۲ رشته نخ که به صورت کمربندی روی سدره بسته می شود. کشتی فقط به وسیله موبد یا دستیارانش بافته می شود. (برای آگاهی بیشتر نگاه کنید به بخش چهارم این کتاب)

(۲)سدره: پیراهن نازك کتانی سبك وزن سفید رنگ. فرزندان زرتشتیان در حدود دوازده سالگی سَدره پوش می شوند، یعنی رسما به دین زرتشتی در می آیند. بعد از آن در بسیاری از مراسم مهم، کشتی و سدره بکار برده می شود. (برای آگاهی بیشتر نگاه کنید به بخش چهارم این کتاب)

موبد پس از پند، از داماد می پرسد «راهنمای شما کیست؟» و داماد می گوید «پدر». اگر پدر در قید حیات نباشد، برادر بزرگتر یا بزرگتر خانواده. سپس می گوید یکی از روزهای ماه را برای یادآوری کار نیك انتخاب کن که کمك به بینوایان با یاد دین و مذهب باشد. ما زرتشتیان هر یك از روزهای ماه را به نام یکی از امشاسپندان و ایزدان می دانیم. داماد یك روز را انتخاب می کند. سر انجام موبد قسمتی از اوستا را می خواند و مراسم تمام می شود. همه کف می زنند.

در طول گواه گیری، تمام حاضرین در مجلس ساکت و آرام گوش می دهند. موبد کتاب مخصوص برای ثبت ازدواج و رسمیت آن را در برابر عروس و داماد می گیرد تا امضا کنند و از هفت نفر که در آن مجلس هستند به عنوان شاهد امضا می گیرد. در این هنگام کار موبد تمام می شود. مادر عروس کله قند با برگ سبز به موبد تعارف می کند. خواهر عروس گلاب به میهمانان می دهد و آیینه و سینی نقل را می گردانند. در این میان عروس و داماد به یکدیگر انار و برگ سبز می دهند [1] آنگاه پذیرایی جشن عروسی آغاز می شود.

(۱)مراسم گواه گیری و عروسی زرتشتی در چند صد سال اخیر (تا دوران پهلوی) به دلیل محدودیتهای اجتماعی، به سادگی و آرامی ویژه برگزار می شد. از دوران پهلوی اول که محدودیت های تحمیلی بر زرتشتیان تا حد زیادی کم شد، مراسم گواه گیری در معابد زرتشتیان در سالن های کنار معبد انجام می شود. داماد و بستگان و دوستان نزدیك او به خانه خانواده عروس می روند و به همراهی عروس و دوستان و بستگان نزدیك عروس و داماد به معبد زرتشتیان می روند. پس از مراسم گواه گیری، موبد دست عروس و داماد را می گیرد و به همراه آنان به دور آتش مقدس می چرخند و در حین چرخیدن به دور آتش مقدس، اوستا می خواند. سپس برای جشن عروسی به منزل خانواده داماد یا به سالن های ویژه جشن عروسی می روند.

جشن عروسی:

میهمانی جشن عروسی در منزل داماد(یا در سالن های ویژه عروسی) برگزار می شود. اگر خانه خودشان بزرگ باشد، جشن را در خانه می گیرند، اگر خانه خودشان کوچك باشد، از خانه فامیل استفاده می شود. (۱)

برای شب عروسی، آشپز می آورند تا نان، غذا، و شیرینی درست کند. در جشن عروسی گوسفند بریان می کنند. پذیرایی با شربت و شیرینی و شام و ساز و آواز و شادی تا پاسی از شب گذشته ادامه پیدا می کند. وقتی همه میهمان ها رفتند، فقط چند نفر از نزدیکان می مانند و عروس و داماد را به حجله می برند.

حجله:

حجله، اتاق خوابی است که از پیش حاضر و آماده شده است. هنگامی که عروس و داماد به اتاق حجله می روند، مادر داماد به عروس هدیه می دهد. این هدیه می تواند النگو، انگشتر و نظیر آن باشد. به این هدیه «رونما» می گویند. بعد عروس و داماد شربت و شیرینی به دهان یکدیگر می گذارند. اطرافیان با شادی و هابیرا گویان از اتاق حجله بیرون می روند.

پاتختی:

مراسم روز پس از عروسی را پاتختی می گویند. در این روز پدر و مادر و خواهر و برادر و خویشاوندان و دوستان، هر کس که بخواهد به عروس و

---

(۱)در اکتبر ۲۰۰۳ و فوریه و ۲۰۰۴ در عروسی های دو تن از نوه های خانم گوهر نامداران (نویسنده این بخش) شرکت داشتم. نخستین عروسی، در فضایی با شکوه در تاکستانی در منطقه «سونوما» و دومین عروسی در شهر زیبای «سانتاباربارا» برگزار شد. در هر دو عروسی، موبد با لباس سفید، مراسم سنتی عروسی زرتشتی را انجام داد. در عروسی نخست همزمان با اجرای مراسم، عموی داماد مراسم را برای حاضران توضیح می داد. مراسم، گفتار و میز گواه گیری، همه همان بود که در این کتاب خوانده اید. البته رنگ و بوی این زمان را بر آن افزوده بودند.

داماد هدیه بدهد، به خانه عروس و داماد می آید. در روز پاتختی، صبح اول وقت، داماد با یک نفر مرد برای دست بوس مادر زن به منزل پدر عروس می رود. یعنی اینکه ای مادر! چه دختر خوبی تربیت کرده ای. مادر زن روی داماد را می بوسد و سکه طلا یا نقره ای هدیه می دهد و از او پذیرایی می شود.[1] پس از صرف ناهار و پیش از غروب آفتاب، موبد می آید و داماد را بر سر آب یا کنار جوی آب روان می برد و بخش مخصوصی از اوستا را می خواند و سپس با داماد به منزل باز می گردند. تا این هنگام، همه میهمانان برای پاتختی آمده اند. مادر عروس گل آویشن و سکه نقره مبارك باد روی شانه های داماد می ریزد و سکه طلا، ساعت مچی یا قواره پارچه به داماد هدیه می کند.
هنگامی که عروس وارد اتاق می شود، میهمان ها با کف زدن ها و هابیرا هابیرا از او استقبال می کنند. بچه ها، سکه هایی را که روی سر عروس ریخته اند، جمع می کنند. مدتی طول می کشد تا داماد وارد اتاق می شود و کنار عروس می نشیند. از این لحظه، دادن هدیه های پاتختی شروع می شود.
مراسم هدیه دادن از خانواده عروس شروع می شود. مادر عروس روی عروس و داماد را می بوسد و گل و انار یا کله قند هدیه می دهد. همچنین جواهرات از سینه ریز و دستبندی که از سکه های طلای ظریف و کوچك درست شده به عروس هدیه می دهد. پدر عروس قباله زمین یا خانه، پول نقد، قالی و قالیچه، نقره جات، از استکان چای خوری و شربت خوری تا ظرف شیرینی هدیه می دهد.
پدر و مادر داماد هم همین کار را می کنند. سایر میهمان ها، هدیه خود را بیشتر از وسایل زندگی می دادند. در قدیم خانواده ها از لحاظ ثروت و دارایی، هم ردیف بودند و چشم و هم چشمی در کار نبود. هر کس به اندازه خودش

(۱) در همین روز مادر داماد به عنوان شیربها، تعداد ۳۳ سکه نقره را که در یك انار فرو شده است همراه با کله قند و گل آویشن به مادر عروس هدیه می کند. به خواهران عروس هم هدایایی داده می شد.

هر چـه مـی خـواسـت به عـروس و دامـاد هدیه مـی داد، زیرا همه پـسر و دخـتر داشتند که در آینده عروس و داماد می شدند. به همان اندازه که هدیه می دادند، در آینـده هدیه می گرفتند. درطول هدیه دادن ها، کـف زدن و هابیرا گفتن ها ادامه می یافت. دایره زدن و آواز خواندن مرسـوم بود. هر کس هنری داشت نشان می داد. پذیرایی از میهمانان با شربت و شیرینی و شام ادامه می یافت.

روز رشته بران:

یک هفته یا چند روز بیشـتر پس از عروسـی، یک روز مخصوص رشته بریدن و آش پختـن درمنـزل عروس و داماد اسـت. البته تمام وسـایل آن پیشـتر همراه با جهاز عروس آمده اسـت. یعنی سفره، ظرف بزرگ مسی برای خمیر درست کـردن، چوب بلند مخصوص رشتـه پهـن کردن و چاقوی رشتـه بری. در روز رشته بران، همه خویشان و نزدیکان دعوت می شوند. از صبح زود، بنشن آش که عبارت اسـت از نخود، لوبیا و عدس، همراه با سبزی فراوان از چغندر ریز ریز شده تا پیاز داغ فراوان پخته می شود. البته روز قبل اینها را آماده می کنند و فقط رشته بریدن برای آن روز باقی می ماند. در هنگام رشته بران، همه جمع می شـوند و سفره ای پهن می کنند. سپس عروس و داماد می آیند. داماد نخست باید خمیر رشته را درست کند. داماد آستین ها را بالا زده، آرد را به مقدار لازم در ظرف بزرگ ریختـه، آب و نمك به اندازه کافی اضافه می کند. در این میان، مادر زن گل آویشـن بر شانه های داماد می ریزد و هدیه ای چون سکه طلا یا قواره پارچه می دهد. بعد خمیر را ورز می دهند و می مالند تا خمیر حاضر شود. عـروس خمیر را پهن می کند و رشتـه می برد. آنگاه مادر داماد به عروس هدیه می دهد. وقتی آش پخته شد، همه از آن می خورند و این روز را به عنوان آغاز رشته زندگی نوین عروس و داماد، با شادمانی جشن می گیرند.

ترتیب زمانی مراسم نامزدی،
گواه گیری(عقد) و عروسی در سنت زرتشتی

- توجه داماد یا خانواده داماد به دختر مورد نظر
- خواستگاری
- تحقیق درباره داماد و خانواده او ازجانب خانواده عروس
- اگر منفی است متوقف می شود
- اگر مثبت است:
- اطلاع به دختر
- اطلاع به فامیل داماد
- میهمانی آشنایی
- گل و نار(بله بران)
- خرید نامزدی
- نامزدی (شیرینی خوران)
- دیدار خانواده عروس از خانواده داماد (بدون حضور عروس)
- دیدار خانواده داماد و داماد از خانواده عروس(پاگشا)
- مجاز شدن ملاقات و معاشرت عروس و داماد
- دوران نامزدی
- تهیه جهیزیه
- بردن جهیزیه به خانه داماد
- حنا بندان (یک روز قبل از عروسی)
- گواه گیری و عروسی (عقد و عروسی)
- حجله (همان شب)
- پاتختی (روز پس از عروسی)
- رشته بران (یک هفته پس از عروسی)

بخش سوم

پیمان زناشویی ایرانی
در گذشته نزدیک

نقاشی: ناصر اویسی
از کتاب Ovissi, Sufi Art
بخشی از تابلو نقاشی صفحه ۴۸

پیمان زناشویی ایرانیان در گذشته نزدیک

در این بخش به مراسـم عقد و عروسـی در چند قرن گذشـته، تا پیش از هشتاد تا صد سـال قبل مـی پردازیم، چون از یکصد سـال پیش به این سـو، کم کم مراسـم عروسـی امروزی تر و مدرن تر شده است، ولی همانگونه که خواهید دید، تغییر اساسی رخ نداده است. بررسی مراسم ازدواج در دوران باستانی را در بخش چهارم خواهید خواند.

یافتن دختر:

بـا توجـه به شرایـط اجتماعی موجـود در دوران پیـش از برداشـتن حجاب در دوران سـلطنت رضا شـاه، (۱۹۲۵ تـا ۱۹۴۱ میـلادی، ۱۳۰۴ تـا ۱۳۲۰ خورشـیدی)دیدار دختران و زنان در عمل غیر ممکن بود. اگر غیر از این بود، بیشـتر نگاهـی دزدانه در لحظه های کوتاهی که چـادر را بر روی سر خود جمع و جـور و مرتب می کردند، میسر می شـد. دخـتر خانم ها و خانم های جوان ایرانی شیطنت و مهارت به سزایی در فراهم کردن این فرصت ها داشتند. اگر دختر و پسـر از بسـتگان یا دوسـتان خانوادگی بودند که از پیش با هم در سطح

خانواده معاشرت داشـتند، کـه البته امکان این نگاه هـای دزدانه بیشتر بود. اگر یکدیگر را نمی شناختند، به افرادی روی می آوردند کـه بهترین مراکز اطلاعاتی بودنـد. البته خانم ها یی کـه در حمـام هـای عمومی کار می کردند، بهترین منبـع اطلاعاتی بودند. در یک حمام عمومی، کمتر نکته ای هست کـه در معرض دید سایر خانم ها وبه ویژه خانم هـای کنجکاوی کـه در آنجا کار می کردند نباشد. عیـب و نقـص ها و زیـادی و کمی ها از نظر ظاهـری و روش و رفتار دخـتران جوان، بـه سـادگی مورد بررسی قرار می گرفت. البته در مقابل انعام مناسب، جزییات آن اطلاعـات در اختیار خانـواده هـای مشتاقی کـه به دنبال دخـتر خـوب و زیبـا بـرای پسر آماده ازدواجشـان بودنـد، قـرار می گرفـت[1]. مجالس روضه خوانی، بازار و رفت و آمد هـای خانوادگـی و غیـره نیز امکـان انتخاب را فراهم مـی کـرد. بنابراین مـی تـوانیم نتیجـه بگیریـم کـه مرحله دیـدار، در واقع وجـود خارجی نداشت.

در ایـن بخـش نکاتی کـه خیلی شـبیه مراسـم امـروزی هسـتند، روی هم رفته بـه اختصار ذکر می شـوند. از سـوی دیگر، قسـمت هـایی کـه توصیفی بـودن توضیحات، رنگ و حال مراسم را نشان می دهند، بیشتر شرح داده می شود. در مطالعه و عقاید و رفتارهای اجتماعی آن دوره به نظر می رسد کـه همه چیز با مهربانی و حسـن نیت همراه نبوده اسـت. یاد آوری می کنم کـه در نقل مطالب ایـن کتـاب، از ذکر بسـیاری جزییـات نه چنـدان زیبـا خود داری کـرده ام. اما کتـاب تهران قدیم، نوشـته جعفر شـهری از انتشارات معین، در ۵ جلد درباره مراسـم گوناگـون، از جمله عقد و عروسی با سـادگی و روشـنی و در عمل بدون هیچگونه محدودیت و رو در بایسـتی همه چیز را شـرح داده اسـت. با تحسـین و قدر دانی از کتاب او استفاده کرده ام.

---

(۱) تهران قدیم، جعفر شهری، انتشارات معین، چاپ سوم. جلد سوم، ص ۴۱ و ۴۲

خواستگاری:

برای رفتن به خواستگاری [1]، معمولا از قبل از خانواده عروس اجازه می گرفتند. معمولا وقتی وارد می شدند می گفتند «مهمون اومده-برکت آورده» و جواب صاحبخانه این بود «باد اومده- گل آورده» و دیگر تعارفات. بعد دختر با سینی چای وارد می شد. رفتار و ظاهر او در همین زمان مورد دقت شدید خواستگاران قرار می گرفت.

اگر سر زده برای خواستگاری می آمدند، معمولا در می زدند و آب می خواستند. بعد می گفتند «اینجا دختر سراغ دادن[داده اند]». اگر صاحب خانه موافق نبود، با جواب هایی مثل «نخیر، دختر نداریم» یا «عوضی گفتن [گفته اند]» یا «کوچیکه» یا «نامزد شده» یا «شیرینیشو خوردن» یا «نشونش کردن[کرده اند]» پاسخ منفی می دادند.[2]

بله بران

بله بران بعد از خواستگاری و در واقع مذاکرات مالی بود که بعد از صحبت های متفرقه انجام می شد و معمولا برای شروع مذاکره می گفتند «از هر چه بگذری سخن دوست خوش تر است»، و وقتی به خصوص درباره مهریه می خواستند صحبت کنند، می گفتند «مهریه را کی (چه کسی) داده، کی گرفته»[3] و بعد به مذاکره ادامه می دادند. در مورد شیر بها هم می گفتند «همه ی دنیا قیمت یك شب بیخوابی مادر نمیشه». گاهی این مذاکرات به مشکل بر می خورد و موجب دلخوری طرفین می شد. طرف داماد برای بیان ناراحتی خود می گفتند «اومدیم دختر ببریم، نیومدیم دختر بخریم»، و طرف عروس هم ممکن بود بگویند «گوهر می خوان، غلطون می خوان،

(۱) تهران قدیم، جعفر شهری، انتشارات معین، چاپ سوم. جلد سوم، ص ۴۵
(۲)تهران قدیم، جعفر شهری، انتشارات معین، چاپ سوم. جلد سوم، ص، صفحه ۴۶
(۳) همان کتاب، صفحه ۶۲

ارزون می خوان» و بعد یکی میانه را می گرفت و طرفین با هم کنار می آمدند یا قضیه با تلخی به هم می خورد و عروسی منتفی می شد. البته عبارات ذکر شده در بالا نمونه ای است از آنچه ممکن بود اتفاق بیفتد.

شگون

در اینجا بد نیست به مساله شگون [۱]، خوش شگونی، بد شگونی و خوش قدمی و بد قدمی اشاره کینم. از لحظه ای که نیت خواستگاری به مرحله عمل در می آمد، تقریبا هر رویداد خوب یا بد که برای هر طرف اتفاق می افتاد، به حساب خوش شگونی و بد شگونی یا خوش قدمی و بد قدمی طرف مقابل گذاشته می شد. اگر کفش های خریداری شده به اندازه ی پاها بود، شگون داشت. اگر آیینه می شکست، بد شگون بود، یعنی خبر از روزهای بد آینده می داد. اگر یکی از بستگان یك طرف می مرد، دیگر معلوم بود که تا چه حد بد بینانه به این وصلت نگاه می کردند. این نوع اعتقادات بی پایه را گاهی از حد می گذراندند.

در هر حال پس از نامزدی، خانواده های دو طرف مشغول تهیه چیزهای لازم مربوط به خود می شدند.

جهیزیه:

تهیه جهیزیه البته وظیفه خانواده عروس بود و همانطور که گفته شد از سال ها قبل، خانواده ها به فکر آن بودند. اگر جهیزیه از سال ها قبل به تدریج آماده نشده بود یا کم و کسری داشت یا حتی اگر چیزی کم نداشت...«از شب بله بران تا شب بردن عروس، خانه عروسان پر از خویش و قوم و دوست و بیگانه بود که به کار رفع نواقص و کم و زیاد جهاز می پرداختند، که یکی چرخ

(۱) تهران قدیم، جعفر شهری، انتشارات معین، چاپ سوم. جلد سوم، ص. ۷۳

خیاطی جلوش بود و قر و قر ملحفه (ملافه)، لحاف، تشک، رویه متکا و بالش می دوخت و یکی بریدنی های آن را مانند پرده، سفره، کیف قند، کیسه اسفند، لباس تو خانه، دستمال شب و امثال آن بریده، جلوش می گذاشت تا بقیه که یکی کم و زیاد اسباب آشپزخانه اش را صورت می گرفت و یکی اسباب قهوه خانه و اسباب سماورش را رسیدگی می نمود و دیگری اسباب سفره و آن دیگری اسباب حمام و تو صندوقی ها و اسباب بقچه هایش را وارسی می نمود...»(۱)

«...از طرف عروسان برای تهیه جهاز، سخاوت و دست و دلبازی به کار رفته، هر چه خریده فراهم می گردید، باز هم کم و معیوب و ناقص شمرده می شد، تا آنجا که گاهی از یك چیز دو دست و سه دست و از یك اسباب دو جور و سه جور که (زیاد باشد بهتر است تا نداشته باشد) در جهاز می آمد.(۲)

آماده کردن عروس:

آماده کردن بدنی و روحی عروس، بیشتر با صحبت با او به وسیله افراد ازدواج کرده ای که هم سن و سال عروس بودند انجام می شد تا او تا حدی از آنچه قرار بود اتفاق بیفتد آگاهی داشته باشد. آماده کردن ظاهری او هم در چند روز مختلف پیش از عروسی انجام می شد و شامل مراحل بند انداختن، حمام عقد، حنابندان و آرایش عروس بود.

بند اندازان

بندانداختن (۳) صورت عروس چند روز قبل از عروسی، با حضور عده ای از

(۱) و (۲) تهران قدیم، جعفر شهری، انتشارات معین، چاپ سوم، ص. ۶۸

(۳) همان کتاب، صفحه ۷۹

اطرافیان عروس و داماد انجام می شد. عروس رو به قبله می نشست. مادر شوهر پس از دادن یك اشرفی (سکه طلا) برای انعام بند اندازها، یك مو از وسط ابروی عروس بر می داشت و بعد بند انداختن (برای رفع موهای ظریف صورت) همراه با آخ و اوخ عروس انجام می شد. به قول معروف «بُکش و خوشگلم کن». بند انداختن به وسیله افرادی که در آن ماهر بودند و تنها با تنیدن و پیچاندن یك رشته نخ و لمس صورت به وسیله آن انجام می شد. در آن روزگار، آرایش ابروها و رفع سایر موهای بدن قبل از ازدواج مجاز نبود. این گونه از آرایش ویژه خانم های ازدواج کرده محسوب می شد یا درست در همین مرحله، یعنی یکی دو روز قبل از ازدواج انجام می شد.

حمام عقد:

برای حمام عقد[۱]، حمام عمومی قُرُق می شد. شیرینی و میوه و شربت و دوغ، تخم مرغ پخته، شامی و کوفته حاضر بود. کارگران حمام انعام خوبی می گرفتند. گاهی هم مطرب با خود به حمام می بردند.

بزک عروس

سرانجام در روز عقد و عروسی، آماده کردن نهایی و آرایش عروس (بزك عروس[۲]) انجام می شد. پیراهن سفید هنوز مد نشده بود. پیراهن مخمل و شلیته و شلوار گلدار با پولك دوزی و منجوق دوزی با رنگ های قرمز و آلبالویی و عنابی و چارقد تور سفید مصرف می شد. برای آرایش، سرمه چشم، فر زدن مو و وسمه ابرو مورد استفاده قرار می گرفت. سفیداب برای روشن کردن پوست صورت و گردن و سرخاب برای سرخ کردن گونه ها و

(۱) تهران قدیم، جعفر شهری، انتشارات معین، چاپ سوم. جلد سوم، ص. ۹۲ و ۹۲
(۲) همان کتاب ص. ۹۱

لب هابه کار می رفت.
آماده کـردن عاطفـی عـروس و دامـاد بـا صحبـت کـردن بـا آن ها (بـه طور جداگانه) بـه ویـژه به وسـیله سـاقدوش هـا که افراد بـا تجربه ای بودنـد انجام می شـد که تـا حدی در کم کـردن اضطراب هـای مربوط به یـک تجربه کاملا ناشناخته موثر بود.

اسباب عقد:
در اینجابـه اسـباب عقد اشـاره می کنیم کـه التبه در کلیات همانند سـفره عقد ا مروزی است، اما در اینجا با تفصیل بیشتری توصیف شده است:
«اسباب عقد شامل آیینه چراغ یا آیینه شمعدان، خوانچه نان، خوانچه اسفند، طبق رخت عروس، طبق نقل و کاسـه نبات، طبق کله قند، طبق های میوه که ظرف های میوه اش تا اندازه یك قد آدم بالا کشیده (کله کوت) شده بود. طبق های شیرینی که همین طور میوه خوری هایش تا یك ذرع و زیادتر بلند زده شده بود. طبق های شیشـه های نیزه ای یا (کُپ) های شربت، طبق گیروانکه های چای و کبریت و شیشه های گلاب و قوطی هل، طبق کیسه های حنا، صابون که صابونش مثل گنبد چند ترك وسـط طبق بالا رفته یا مخروطی روی هم شده بود. غیر از ذغال و تنباکو، یعنی تلخی و سـیاهی که شـگون نداشـته، زندگی عروس و داماد را تلخ و سیاه می نمود. [این طبق ها از طرف داماد تهیه، و طی مراسمی به خانه عروس منتقل می شد.]
طبـق اول آیینه چـراغ بود که اگر آیینه اش بزرگ بـود خوابیده، دریك طبق، و چـراغ یـا لاله هایش در طبق دیگربودکه در این صورت قرآن را نیز که در جلد مخمل یا ترمه بود وسط آیینه گذارده روی آن گل ریخته، نقل می پاشیدند و در صـورت دوم آیینـه و چـراغ و قرآن در یـك طبق بود که پیشـاپیش همه حرکت می نمود.
چراغ ها شامل یك جفت پایه بلند گرد سوز حباب دار پایه برنز یا مرمری، یا

(لنتر) پایه دار حباب دار که در پایه هایی شبیه گلدان از فلز که با اشکال مختلف و کمال زیبایی ریخته می شد، قرار گرفته، از گردن وسیله ریسمان به حلقه ریسمان های اطراف طبق محکم می گردید یا پایه دار های نمره بیست و پنج جدید سفید با حباب بزرگ سفید، یا یك جفت تك پایه (شمعدان) یا سه شاخه، یا پنج شاخه باگلدان (دست دلبر) ی پر از گل که برای زینت وسط طبق که روی طبق را هم مخمل یا زری یا بقچه قلمکار کشیده بودند می گذاشتند.
خوانچه اسفند نیز طبق مستطیلی بود طراحی شده از اشکال هندسی خانه بندی شده که خانه های آن را اسفند های رنگ کرده ریخته، با اکلیل و لاجورد تزیین کرده وسطش مبارك باد می نوشتند. طبق نان، نان سنگکی در یك ذرع و زیاد تر و گاهی تا یك ذرع و نیم قد که هنر شاطری در آن به کار می رفت و وسط طبقی کاغذ زرورق دالبر کرده مانند طبق خوانچه پهن کرده، دورش را جعفری پاشیده، چهار گوشه اش گل و گیاه گذاشته، رویش رابا دارچین این بیت مبارك باد می نوشتند:

مبارک باشد این شادی　　　به حق مهدی الهادی

و پشت سر آنها طبق رخت عروس شامل انواع پیراهن، یَل، شلیته شلوار، چادر سیاه و چادر نماز، چارقد، پیچه، روبنده، چاقچور یا جوراب، کفش، دمپایی، اسباب بزك در جعبه مجری در زینت کامل که رویش گل و نقل و پولك می پاشیدند و در عقب آن ها دیگر طبق ها. و به محض رسیدن سر طبق ها به اول کوچه عروس، منقل های اسفند از خانه آن ها بیرون آمده و به استقبال اسباب عقد می رفت و بو و دود اسفند و کندر آن که کوچه را پر کرده، صدای صلوات پیشاپیش طبق کش ها و جواب مردم و غلغله ، غوغا و ازدحام مردم محله را اشباع می نمود و به این ترتیب طبق ها وارد خانه عروس شده، طبق آیینه با انعام خاص...» (۱)

(۱) تهران قدیم، جعفر شهری، انتشارات معین، چاپ سوم. جلد سوم، ص. ۷۲

سفره عقد:
سفره عقد که از جنس شال کشمیر یا مخمل عنابی یا جگری بود، در اتاق عقد کنان گسترده می شد.
«محتویات این سفره عبارت بود از اول آیینه بخت که برابر عروس به طوری که بتواند خودش را در آن نگاه بکند قرار می گرفت، به این خاطر که هنگام عقد، به خودش که در این ساعت از او خوشبخت تری نمی باشد، نگاه بکند. چراغ های آن که از هر جنس بود،دو طرفش روشن شده و نور افشانی می کردند. کلام الله مجید. قرآنی که هر کس آن را بنا به عقید خود از سوره های فتح یا تبارك، یا یوسف جلوی عروس می گشود. چند گل و گلدان اکلیل لاجورد کرده یا کاغذ روغنی کشیده که در بشقاب نبات و بشقاب شاهی سفید که از عرض سفره جلو آن قرار می گرفت. دوری ای پر آرد که برای برکت گذاشته می شد. پنج یا دوازده یا چهارده تخم مرغ در بشقابی دیگر به نیت اولاد که قرین و به تعداد با پنج تن و دوازده امام و چهارده معصوم بوده باشد. گلاب پاشی طرف راست و عطر دانی طرف چپ که برابر زانویش قرار می گرفت. خنجه هفت رنگ اسفند همراه قلیاب ها و نبات ها که چهار گوشه اش گذاشته شده بود، یك طرف دیگر سفره با لاله هایی که در چهار گوشه آن نور افشانی می کرد...»(۱)

مراسم عقدکنان - خطبه عقد:
ساعت عقد کنان فرا می رسید. سفره عقد چیده شده بود و مراسم عقد آغاز می شد. «...با رفتن عروس به اتاق عقد و نشستن پای سفره عقد و آماده شدن، عاقد از پدر داماد و پدر عروس وکالت گرفته، (یاالله) گویان به پشت در اتاق رفته چهار زانو نشسته، حضور خود را اعلام، و زن ها را امر به

(۱) تهران قدیم، جعفر شهری، انتشارات معین، چاپ سوم. جلد سوم، ص. ۹۴

سکوت و توجه به مطالب خود می نمود. مقدمتا لازم بود که قبل از کسب اجازه، خطبه عقد را به عربی با ترجمه اش در این مضامین قرائت بکند: قال رسول الله، یعنی این حرف پیامبر خداست، که بر هر زن و مرد مسلمان واجب است که نکاح نماید. نصف دین را نکاح و نصف دیگرش را تقوا و ایمان حفظ می کند. نکاح، زن و مرد را از شرها و وسوسه های شیاطین به دور می دارد. خداوند مردان خوب را برای زنان خوب و زنان خوب را برای مردان خوب خلق کرده و پاکان و طاهران را برای هم که انیس یکدیگر گشته از هم کامروایی کنند. هر زن و مردی که نکاح کنند، ملایك آسمان برای آنها دعای خیر می کنند...و پس از آن صورت داد و ستد در آن باره را که چقدر مهر و چقدر نقد و چند دست لباس و چه مقدار طلا و جواهر و چه مبلغ شیر بها و چه و چه می باشد را به پیش می کشد و آن را هم به این صورت ذکر می نمود:

مخدره، طیبه، عفیفه، باکره علیه، دختر خانم مثلا تاج الملوك، اجازه دارم شما را با یك جلد کلام الله و این مقدار مهر و یك جام آیینه و یك جفت چراغ، شمعدان که به نظرتان رسیده و ده یا پنج و کمتر و زیادتر دست لباس و چهار جفت اروسی، و این مقدار جواهر که مثلا شامل یك حلقه انگشتری و یك رشته سینه ریز و یك طوق گلوبند و یك زوج آویز گوشواره و دو جفت النگو و این مبلغ شیر بها که زن ها (شیر باهه) می گفتند که این مبلغ از مهر نقدا به شما رسیده و بقیه که فلان مبلغ است بر ذمه می باشد که عندالقدره والاستطائه [(۱)] بپردازد، به عقد دایمی و همیشگی جناب جلالت مآب، فخر انتساب، عالیجاه، اقای مثلا حشمت الله ولد عالی شان ...فلان در آورم؟ که البته عروس ساکت مانده چیزی نمی گفت...و عاقد دو مرتبه خطبه را شروع

(۱) معنای این جمله این است که اگر مشکلی پیش آمد وزن مهرش را خواست، شوهر فقط در صورتی که قدرت و استطاعت آن را داشته باشد ملزم به پرداخت آن است! [در اصل باید عندالمطالبه باشد یعنی هر وقت زن آن را بخواهد.]

کـرده از سر می گرفت تا مرتبه سـوم کـه ... با صدایی خجالت زده نازکی که گویـی از تـه چـاه در می آمد، در حـدی که عاقد به زحمت شـنیده، یا نشـنیده، دیگران به گوشـش می رسـاندند (بلـه) می گفت. زن ها لی لـی لی لی کرده، دست زده، مبارك باد گفته به زدن وخواندن بر می خواستند.»[۱]

جشن عروسی:

«دیگر مهمانی و ضیافت شـب عروسـی بود که از مهمانی های حتمی و واجب به شمار می آمد که فقیرو غنی و دارا و ندار بدان گردن می نهادند...»[۲]

آماده کردن محل عروسی:

«...تـا پیـش ازرواج میـز و صندلـی... ترتیـب پذیرایـی عقـد در خانـه هـا و مهمانـی های بـزرگ چنین بود که حیاط را (اگر مهمانـی در حیاط بود) کیپ تا کیپ فرش کرده، اطراف آن را تشکچه یا پتو که از درازا تا شده باشد گسترده، روی آنها را رویه سـفید یك دسـت کشـیده، برای هر نفر یك پشـتی یا مخده یا بالـش گذارده، مهمانان را تعارف به روی پتوها می کردند و میوه و شـیرینی را توی بشـقاب ها نهاده، روی زمین جلوشـان قطار می کردند. زینت حیاط هم شـامل طاقنمابندی مثل تکیه ها از جار و چراغ و گل و گلدان و غیره و قالیچه کوبی و پرده کوبی و عکس و شمایل و تصویر. و اما روشنی مجلس، شمع های نیم ذرعی که در شـمعدان های مسـی ته پهن پایه کوتاه بگذارند،تا شـمع های قدی به قامت و زیادتر آدم و به ضخامت دو پنجه دست که به هم جفت کنند و زیادتر ،با فتیله های به کلفتی انگشت بود که روشن می گردید و چلچراغ هایی که به زنجیر و طناب بالای حیاط از این پشـت بام به آن پشـت بام کشـیده شده

(۱) تهران قدیم، جعفر شهری، انتشارات معین، چاپ سوم. جلد سوم، ص. ۹۷
(۲) همان کتاب، ص. ۱۳۱

بـود آویـزان مـی کردند و چند شـاخه چلچراغ هـای پایه دار که چهار گوشـه حوض و زوایای حیاط می گذاشتند و در فاصله آنها پایه بلندهای گرد سوز و لنتر که روشـن می کردند. صورتی که همان زینت و آذین بندی اش اندرون را بـه شـعف آورده، حـلاوت عروسـی خانـه را به کام می رسـاند و بـرای داماد طاقنمایی علیحده، با لاله دیوارکوب های نور افشـان و زینت آلاتی به مراتب جالـب تـر و گلـدان های نارنـج و پرتقال و چلچـراغ های الوان کـه با آنها دو طرفش دیوار کشـیده، [داماد] با سـاقدوش هایش بالای تخت تکیه به مخده می نشسـت و منقل بزرگ اسـفندی که در دو سه قدمی جلوش قرار گرفته، هر دم مشـتی اسـفند و بخورات مطبوع در آن ریخته، صدای چرقا چرق و دود و بوی معطرشـان فضـای حیاط را پر می نمود و شربت خوری هـای پایه دار زیر دار جوراجور که پر از شربت، به دست خدمت کاران جلو این و آن گذارده شده، چای فصل به فصلی که شیرین و قند پهلو به دست مهمانان داده می شد و قلیان هـای سره چوبـی شرابـه دارباد گـیر نقـره ای کـه بـا کوزه هـای بلـور اصل و چینی های عکسی اشکان و آب چکان برابر قلیان کش ها می آمد.
همـین صـورت نیز اگر عروسـی مفصل بود و در تالارها و اروسـی ها جا نمی گرفـت یا برای زمسـتان ها بود، با تفـاوت آنکه بالا یا تمام حیاط چادر کشـیده شـده، منقل های بزرگ آتش برای گرم کردن به اطراف نهاده می شـد و جای شربـت با شـیر گرم عوض می شـد تا کـم کم که میـز و صندلی باب شـده به مجالس راه یافت. گر چه تا مدت ها مردم با آن خو نگرفته به اندیشه تکبر و خود نمایی از آن احتراز کرده، با بودن آن هنوز روی زمین می نشستند....»[۱]
«...در ورود صندلی هم بود که کم کم چراغ زنبوری های روسی هزار شمع با توری دراز خیاری متداول شـده، در رکاب ها آویخته شـده، نور افشـانی می نمـود و در خلال آن زنبوری های سـقفی هلندی که از طبقی از سـقف آویخته

(۱) تهران قدیم، جعفر شهری، انتشارات معین، چاپ سوم. جلد سوم، ص ۷۴و ۷۵

شـده، از آن لوله باریکی به منبع نفت آن که مانند کپسـول گاز بود و تلمبه ای داخـل خـود داشـته، کنـاری از مجلس روی زمین نهاده می شـد، می رسـید که بسیار اسباب تعجب بینندگان که چگونه از صد قدم راه، نفت به او می رسد و چطـور اینجـا به آن تلمبه زده، آنجا یعنی بالای سـقف چراغ پر نور می شـود، مـی گردید! تـا در تعقیب آنها که زنبوری های فانوسـی و آویـزی حباب دار و بی حباب که حباب دارهایش طبقی بسـیار زیبا با شرابه های قشنگ داشت به بـازار آمـده، به منـازل راه یافت و با همین هـا هم بود که حالـت طبیعی دلخواه شـاعرانه شـمع و چلچـراغ از میان رفته جای خود را بـه وز وز و سر و صدای زنبوری ها سپرد و آمدن برق که همه را منسوخ گردانید.»[۱]

عروس بران یا عروس کشان

سرانجـام انتقال عـروس از خانه خانواده عـروس به خانه خانـواده داماد صورت می پذیرفت که به آن عروس بران یا عروس کشان می گفتند:

«... مدعویـن حضور یافته سرگرمی های مجلس از قبیل مداح و مولودی خوان یا مطـرب و نوازنـده حـاضران را مشـغول داشـته، یکی دو سـاعتی از شـب که می گذشـت عده ای از فامیل نزدیک داماد و یکی دو ریش سفید و گیس سفید با آیینه و چراغ و لاله و شمعدان به دنبال عروس رفته، در خانه او با شربت و شیرینی پذیرایی شـده با اجازه پـدر و مادر عـروس، عقدنامـه دختر را با قـواره پارچـه ای که برای خلعتـی مـادر عـروس گرفته در بغچه سـنگینی بسـته بودنـد، جلو مـادر عروس گـذارده، عروس را تحویل گرفته حرکت می دادند و در این حرکت بود که گریه و زاری و شـیون و شین اهل خانه و عروس که به اثر مفارقت از یکدیگر بلند شده بود خانه را پر می نمود و در آخر مرتبش کرده، چادر نماز و تور صورت و گل و گیله اش

(۱) تهران قدیم، جعفر شهری، انتشارات معین، چاپ سوم. جلد سوم، ص ۷۵

را درستی راستی کرده آیینه قرآن و آب و اسفند آورده، سه مرتبه از زیر سینی آب و آیینه و قرآن که در هر بار باید قرآن را ببوسد ردش کرده، اسفند برایش در آتش ریخته با گفتن «به سلامتیت باشه ایشاللا - خدا به همراهت) وسط حصاری از زنان دنبال کننده که از نظر و دید نامحرم به دور باشد، روانه اش می ساختند.
معمولا در اثر نزدیکی راه ها و اینکه غالبا وصلت ها از نزدیکان و در دور و بری های خود صورت می گرفت، عروس پیاده حرکت می نمود، مگر راه های دور که درشکه و کالسکه به کار گرفته می شد و در حالت، چه پیاده بود و چه سواره، در طول مسیر تمام اهل محل با خبر کردن یکدیگر از کوچه ها و خانه ها بیرون ریخته برای دیدن عروس می آمدند و گله به گله خانه دارهای خیر اندیش برایش منقل آتش آورده، اسفند در آتش می ریختند...»[۱] و بالاخره عروس و همراهان به خانه خانواده داماد، محل جشن عروسی وارد می شدند. مراسم پاتختی و غیره تا حد زیادی همانند مراسم امروزی بود که برای اجتناب از طولانی تر شدن مطلب، از تکرار آن خودداری می شود.
باید یاد آوری کرد که مسلمانان در طول ماه های محرم و صفر که ماه های اسلامی عزاداری است، از ازدواج خود داری می کنند.

(۱) تهران قدیم، جعفر شهری، انتشارات معین، چاپ سوم. جلد سوم، ص ۱۳۱

بخش چهارم

پیمان زناشویی در ایران باستان

نقاشی: ناصر اویسی
از کتاب Ovissi, Sufi Art
بخشی از تابلو نقاشی صفحه ۷۳

پیمان زناشویی در ایران باستان

در ایــن بخــش بــه بررســی مراســم مربــوط بــه پیمان زناشــویی در ایران باستان می پردازیــم، اوســتا دربــاره مراســمی کــه همــراه بــا ازدواج بر گــزار می شــده، خاموش است. بنابراین تنها نکات جســته گریخته ای در این زمینه وجــود دارد. از سوی دیگر، گروه هایی از ایرانیان که پس از حمله اعراب، ایران را ترک گفته و به سرزمین های دیگر مهاجرت کردند، به ویژه آنهایی که در نقاط دور افتاده و جدا از دیگران ســاکن شــدند، مراسم ایران باستان را حفظ کردند. گواه این دســت نخوردگــی در واقــع شــباهت یا هماننــدی آن مراسم با مراسم زرتشتی به نسبت قدیمی و مراسم امروزی است. پس تا آنجا که می توانیم با استفاده از منابع موجود، مراســم مربوط به پیمان زنا شــویی در دوران باستان را بررسی می کنیم.

در تهیــه ایــن بخــش بیشــتر از کتاب «خانــواده ایرانــی در دوران پیش از اسلام» پروفســور علــی اکبــر مظاهری، ترجمــه عبــدالله تــوکل و کتــاب «زن در ایران باستان»، نوشته هدایت الله علوی اســتفاده کرده ام. این کتاب ها دربر گیرنده مطالــب بســیاری اســت و مــن تنهــا به بازگویی بخشــی از مسایل کــه به طور مستقیم به موضوع این کتاب مربوط هستند اکتفا کرده ام. خواندن کتاب های آنان را صمیمانه به خوانندگان کنجکاو و علاقه مند توصیه می کنم.

احترام زن:

زن در ایران باستان، به ویژه در آیین زرتشت، از احترام فراوان برخوردار بود. در کتاب خانواده ایرانی در دوران پیش از اسلام آمده است:

«...دین زرتشت وی را کدگ بانوگ -کدبانو- بانوی خانه کرد... در دوره پادشاهی دو خسرو، دگرگونی های دیگری هم به وقوع پیوست که باعث تقلیل حجم گروه خانوادگی شد. ملایمت و نرمی آیین زرتشتی یکی از عواملی است که این دگرگونی ها را پدید آورد....»

«...مذهب زرتشت، زن را در عروج به بلندترین مقامها یاری میدهد. آذر نرسه پسر هرمز دوم زنش را شریك تخت و تاج پادشاهی می کند و شاهپور که به سال ۳۱۰ تاج بر سر گذاشت، همین کار را با زن خویش صورت می دهد. نقش همسر ورهران دوم-بهرام دوم-تاج شاهی ایرانی بر سر، در کنار شوهرش به روی سکه ها دیده می شود. بیوه ورهران پنجم، مادر هرمز سکستانی و کسی که بعدا پیروز اول خوانده شد، از سال ۴۵۷ تا سال ۴۵۹ به سمت ملکه-بامبشنان بر ایران پادشاهی می کند. مادر شاهپور دوم تا روزی که پسرش به سن رشد برسد نیابت سلطنت را به عهده می گیرد. و چندی دیگر، پوران و آذر میگ دخت بر ایران پادشاهی می کنند. همین دگرگونی در خانواده شهروندان ساده هم صورت می پذیرد.»(۱)

برابری زن:

در ایران باستان، زن از حقوق ویژه ای برخوردار بوده است. در همان کتاب در مورد برابری حقوق زن و مرد چنین می خوانیم:

«در ایران باستان، زن مقام ارجمندی را دارا بوده است. زن یکی از اعضای[مهم]خانواده محسوب می شده و در تمام شئون زندگی با مرد برابری

(۱) خانواده ایرانی در دوران پیش از اسلام، پروفسور علی اکبر مظاهری، ترجمه عبدالله توکل،نشر قطره، چاپ دوم، ص.۱۵

می کرده است و برای اثبات این موضوع شواهد زیادی در دست است.
در اوستا همه جا نام زن و مرد در یك ردیف ذکر شده و در کارهای دینی که زنان باید انجام دهند و دعاهایی که باید بخوانند، زن را با مرد برابر شمرده است و حتی در صورتی که موبد حاضر نباشد، ممکن بود زن به مقام قضا برسد و نیز در تاریخ می بینیم که زنانی مانند همای و پوراندخت و آزرمیدخت به مقام پادشاهی رسیده اند.
سن بلوغ برای مرد و زن یکسان بوده است و گروهی از فرشتگان هم مانند آناهیتا (ناهید) زن هستند. در میان امشاسپندان، امرتات (مرداد) و هوروتات (خرداد) و سپنتا ارمئیتی (سپندارمز)مونث هستند، به ویژه سپندارمز، نماینده زمین است و این سپندارمز (یعنی فروتنی مقدس) یکی از صفات اهوورامزدا است و در جهان مادی پرستاری زمین با اوست و به همین جهت دختر اهورا مزدا خوانده شده است.
آنچه در اوستا راجع به زن و مرد می باشد، متضمن برابری حقوق است.[(۱)]»

اهمیت پیمان زناشویی:

در ایران باستان زندگی زناشویی، سوای تداوم نسل، اهمیت اجتماعی زیادی داشت. نظام حکومتی، ازدواج و زندگی زناشویی را به عنوان یك تکلیف اجتماعی تشویق می نمود.
«زندگی زناشویی از لحاظ اجتماعی اهمیت دارد. جامعه ایران از همه اعضای خود خواستار زندگی زناشویی است. هر گونه تخلفی از این قاعده، به نظر ساسانیان جرمی است که سزاوار سخت ترین کیفر هاست. شاهنشاهان به

(۱)زن در ایران باستان، هدایت الله علوی، انتشارات هیرمند، چاپ اول،۱۳۷۷ .ص.۷۲

عنوان نمایندگان راستین اهورا مزدا در روی زمین، این مساله را با همه علاقه ای که در خور آن است می نگرند، و با علاقه و غیرت بسیار مراقبت به کار می برند که این تکلیف اجتماعی به جای آورده شود. دولت هر سال، عده بسیاری از دوشیزگان بی چیز و ندار را به زنی می دهد و پیش از این کار، برایشان جهاز فراهم می آورد. خسرو انوشگ روان پارسا، به پاس این گونه نیکوکاری ها و مردم دوستی ها انگشت نما شد. وانگهی، کامیابی و پیشرفت و خوشبختی مردم کشورش هم وابسته این نیکوکاری ها و مردم دوستی ها بود. پس از آنکه کشور شاهنشاهی را آرام کرد و صلح و سلم فراهم آورد، همه دختران بی صاحب و بی جهاز را به خرج دولت شوهر داد.[۱]»

ازدواج در دوران باستان، پیوستن به نیکی ها و بهره وری از ارزش های گرانقدر بود و ارزش های والا و بالنده آن، نشان از کمال انسانی در رسیدن به معنویت زندگی اهمیت پیدا می کرد، اهمیتی که زندگی زناشویی را از وظیفه تولید مثل فراتر می برد.

«[ازدواج] در شاهنشاهی ساسانی به مثابه تکلیف بود و هیچکس در آن زمان، از قید این طوق که درست به چشم بزرگترین نیکی ها و گرانمایه ترین فضایل نگریسته می شد، نمی جست.[۲]»

«...به نظر ایرانیان، ازدواج هدف و غایتی گرانمایه تر از «تولید مثل» مطلق داشت. آنچه منظور ایرانیان بود، کمال معنوی و روحانی انسان ها بود، همچنانکه آیین زرتشت فرموده است. به عقیده ایرانیان، این کمال پارسایانه به روز رستاخیز که اهورا مزدا بر اهریمن پیروز شود و روح انسان به منتهی درجه پاکیش برسد، تحقق می پذیرد. ازدواج ایرانیان به رغم برخی عیب ها و نقیصه هایی که بیش و کم با اصول مزدایی که در آن پیدا کرده ایم مطابقت

---

(۱) خانواده ایرانی در دوران پیش از اسلام، پروفسور علی اکبر مظاهری، ترجمه عبدالله توکل، نشر قطره، چاپ دوم، ۱۳۷۷، ص. ۳۵.
(۲) همان کتاب، ص ۴۰

دارد، پیوندی آزاد و محکم و جاودانی و مقدس می نماید، وصلت دو موجودی می نماید که برای دریافتن زبان یکدیگر، یاری دادن یکدیگر، دوست داشتن یکدیگر و خوشبخت کردن یکدیگر ساخته شده اند و برای آن آفریده شده اند که جدایی ناپذیر و جاودانه، دل به هم بندند. زندگی زناشویی به نظرشان بسی برتر از وصلت دو وجود بود، وصلت دو روحی بود که از این پس با رشته سرنوشتی مشترك به هم پیوسته اند. ایرانیان ازدواج را بلند پایه ترین و گرانمایه ترین و زیباترین شکل دلبستگی انسان می دانستند.»(۱)

انتخاب:

اگر چه ممکن است در ایران باستان نیز شرایط اجتماعی، قدرت و دخالت والدین را در انتخاب همسر، به ویژه در مورد دختران از حد منطقی و مشورتی بیشتر کرده باشد، اما دست کم تعلیمات اصلی و اساسی اجتماعی، چنین ترتیبی را توصیه نکرده بود.

«...و اما باید بگوییم که درباره آزادی خود دختر در انتخاب شوهر نیز بحث های بسیاری صورت گرفته است. کریستنسن، در کتاب شاهنشاهی ساسانی عقیده دارد که دختر در انتخاب مرد دلخواهش هیچ آزادی ندارد و اما نظر منان، آنجا که اظهار می دارد که «دختر ایرانی به ندرت در این زمینه به تنهایی تصمیم می گیرد»، به واقعیت نزدیک تر است. امروز ما برای روشن کردن مساله آزادی و اختیار زن در دوره ساسانیان، مدارك و اسنادی بیشتر در دست داریم. نوشته های فرخ، دست نبشته قرن هفدهم مادیکان هزار دادستان (گزارش هزار داوری) که در قرن ششم تصنیف و تدوین یافته است، به تفضیل این مساله را بررسی می کند.»(۲)

(۱)خانواده ایرانی در دوران پیش از اسلام، پروفسور علی اکبر مظاهری، ترجمه عبدالله توکل، نشر قطره، چاپ دوم، ۱۳۷۷، ص. ۳۵

(۲) همان کتاب، ص. ۵۰

نگاهی به متن های مانده از دوران باستان، نشان دهنده این است که عقد از دیرباز یک قرارداد اجتماعی تلقی می شده است و رسمیت بخشیدن به روابط زناشویی را سامان می داده است.

«...برای آنکه ازدواج کاملا قانونی باشد، لازم است که پدر، برادر، عمو یا قیم دختر قباله عقد را امضا کند. اما آنچه دختر از ایشان خواستار است، بیشتر از آنکه میل و اراده ایشان باشد، رضای ایشان است. حقوق ساسانی حتی این حق را هم برای دختر شناخته است که اجازه سردار خویش، سرپرست خویش را ندیده بگیرد، و به قرار معلوم، چنین دوشیزه ای خود سردار یا برخوردار از استقلال (خود سالار زن-زنی که اختیار خویش را در دست دارد) خوانده می شود. با این همه، به دوشیزگان ایرانی توصیه شده است که با پدران و مادرانشان به مخالفت برنخیزند و از این راه برایشان مایه دلخوری نشوند و به پدران و مادران اندرز داده شده است که به آرزوها و تمنی های دخترانشان توجه داشته باشند.»[۱]

پندها:

توجه به شیوه نگرش و پند و اندرزهای اجتماعی ایران باستان، نکته جالبی را نشان می دهد. گویی همین امروز پدر و مادری به دختر خود اندرز می دهند. «دختر مزدایی کدام مرد را باید به همسری برگزیند؟ اخلاق و خصایل نامزد چه باید باشد و نامزد چه محاسنی باید داشته باشد؟ باز هم در برابر حس واقع بینی مزداییان متحیر می مانیم. جوان نباید پسر خانواده ای توانگر و ممتاز، یا شاهزاده ای دلفریب و افسونگر باشد، که باید مردی با هوش و خوش خلق و به ویژه در حرفه خود کار آزموده باشد. آذورباد می گوید که: اگر جوان چنین باشد، بپذیریدش...و نگران بی چیزیش

---

(۱) خانواده ایرانی در دوران پیش از اسلام، پروفسور علی اکبر مظاهری، ترجمه عبدالله توکل، نشر قطره، چاپ دوم ص. ۵۲.

مباشید» [۱]

در انـدرز بـه پسران در گزینـش زن دلخواه، برخورداری دختـر از توانایی های ویـژه و کاردانی او مورد تاکید قرار گرفته اسـت. مینوی خرد به ایرانیان اندرز می دهد که: «زنی را به همسری برگزینید که استعداد های شایسته دارد زیرا که چنین زنی برکت و رحمت است و نزد همه گرامی و ارجمند است» [۲]

شـاید نگاهـی به عروسـی دختـر زرتشـت، بازگـو کننـده روابـط اجتماعی و خانوادگـی و بنیـاد هـای ارزشـی پندهـا را بیشـتر بازگو کنـد. گات هـا، اثر ارزشـمند یـادگار دوران باسـتان، اشـاره های مهم و شایسـته ای به عروسـی پوروچیستا، دختر زرتشت با جاماسب دارد که نشان از پاك دلی و پاك خلقی و پاك سرشتی ستوده ایرانیان دارد. در این رویداد مهم تاریخی، زرتشت به دختر خویش چنین می گوید: «اینك تو ای پورو چیستا از پشت هیچتسب و دودمان اسـپنتمان، ای جوان ترین دختر زرتشـت، او(زرتشت) با منش پاك و راستی از بـرای تو جاماسـب را برگزید، اکنـون برو لختی بیندیش، با خردت مشـورت کن، با نیت پاك مقدس ترین اعمال پارسایی را به جای آور».

پوروچیسـتا در جواب می گوید: «به راستی او (جاماسب) را دوست می دارم و نیز خواهم کوشـید تا در دوسـتی خویش از وی واپس نمانم و عشق او از من فزونـی نکنـد، به پـدر و مـادر خویـش وفـادار خواهـم ماند...ماننـد یك زن درستکار نسبت به همه نیاکان مهر و وفا خواهم ورزید». [۳]

و گویا در موقع به جا آوردن همین مراسم است که زرتشت خطاب به همه زنان و مـردان حاضر چنین می گوید: «ای دختران شـوی کننده و ای دامادان، اینك بیاموزم و آگاهتان سازم، پندمرا به خاطر خویش نقش بندید و به دلها بسپرید،

---

(۱) خانوداه ایرانی در دوران پیش از اسلام، پروفسور علی اکبر مظاهری، ترجمه عبدالله توکل،نشر قطره، چاپ دوم ص. ۵۲ به نقل از اندرز آذورباد، ۲-۳۹

(۲)همان کتاب، ص.۴۹، به نقل از مینوی خرد

(۳)از گاتها، ازکتاب زن درایران باستان، هدایت الله علوی، انتشارات هیرمند، ص.۸۸

بـا غیرت از پی زندگانی پاك منشـی بکوشـید. هر یك از شـما بایـد در گفتارو کردارو پندار نیك به دیگری سبقت جوید و از این رو زندگانی خود را خوش و خرم سازد.»(۱)
خـرد و بینـش نیاکانم به حیرتم می اندازد. گویی آنـان در امروز جهان زندگی می کنند و چراغ راهی را برای زندگی شایسته می افروزند.

قدمت آداب و رسوم:
درباره قدمت آداب و رسـوم خواسـتگاری، نامزدی، پیمان زناشـویی و جشن عروسی، پیش از این نیز در این کتاب نوشته ام. حتی شواهدی در دست است کـه دیرینـه بـودن این رسـوم را از دوره ساسـانیان نیز پیش تر بـرده و به دوره پارت ها و هخامنشیان می رساند.
«خواستگاری و نامزدی و برگزاری آیین عروسی، پشت سر هم و طبق سلسله رسـوم و آداب دگرگونی ناپذیر و هزاران سـاله ای صورت می گیرد که هنوز هم که هنوز است مزداییان با احترامی پارسایانه پا بر جا نگه داشته اند و کم و بیش به شکل خالص نزد ایرانیان دیگر دیده می شود.»(۲)
«در میان زرتشـتیان هند،هنوز هم که هنوز است این تحریض ها به زبان پازند، زبان توده مردم ایران در حدود قرن ششم، یعنی دوره ساسانیان گفته می شود. بدین گونه بیشتر از سیزده قرن، متن زبانی و در عین حال همان سخنان آیینی را که در آن زمان به این مناسبت گفته می شده است، نگه داشته اند.»(۳)
«رسـوم و آدابـی کـه شرح دادیم به خواسـتگاری و نقش پـدران و مادران و شـهود نامـزدی و همـه آیـین ازدواج و آیـین هایی ارتبـاط دارد کـه هنوز هم ایرانیـان دیگـر بـه جـای مـی آورند و... نـه تنها تـا انـدازه ای یـادگار دوره

(۱) از گاتها، ازکتاب زن درایران باستان، هدایت الله علوی، انتشارات هیرمند، ص.۸۸
(۲) خانواده ایرانی پیش از اسلام، پروفسور علی اکبر مظاهری، ترجمه عبدالله توکل، نشر قطره، چاپ دوم، ۱۳۷۷، ص.۵۳
(۳) همان کتاب، ص. ۶۹

ساسانیان، دوره پارت ها یادوره هخامنشیان است، که شاید یادگار سرآغاز تمدن ایران باشد. می دانیم که جماعت ایرانی که در گجرات آشیانه کرده اند، وطن خودشان خراسان را در اوایل قرن هشتم رها کرده اند و تا قرن شانزدهم با مادر وطن پیوندی نداشته اند و دستوران و عوام برای آگاهی یافتن از برخی مسایل و شعایر دین، جز در دوره سلطنت سلاطین صوفیه، دودمان صفوی، رهسپار ایران نشده اند. پس آن سنن و رسوم ایرانی که در سورات و بروچ و بمبئی و جاهای دیگر دیده می شود، جز سنن و رسوم ایران دوره ساسانیان که زبان توده مردمش در قرن هفتم زبان پازند بوده است، چیزی نمی تواند باشد. و اطمینانی که در این زمینه داریم و این رسوم و سنن را به موجب آن، رسوم و سنن دوره ساسانیان می دانیم، بیشتر از هر چیز دیگر زاده این است که هنوز هم در برخی از دره های نسبتا دور افتاده، آیینهایی دیده می شود که پاك همانند آیین هایی است که در گجرات برگزار می شود. رسوم و آداب یزد نیز که در پرتو آیین های گجراتی بررسی و وارسی کرده ایم و با رسوم و آداب پارسی مقابله و مقایسه کرده ایم، عناصر بسیار شایسته توجهی برای بازسازی آیین زفاف در دوره ساسانیان برای ما فراهم آورده است.»[۱]

سن زناشویی:

در مورد سن زناشویی در ایران باستان، تقریبا همه جا ۱۵ سالگی را به صورت حد اقل سن بیان کرده اند. به عبارت دیگر، در عمل سن بیشتر از ۱۵ سالگی است. تنها در یك منبع سن ۹ ماه کمتر از آن ذکر شده است. فراموش نکنیم که در بسیاری از ادیان دیگر، سن قانونی ازدواج کمتر از این عدد بوده است.

(۱) خانواده ایرانی پیش از اسلام، پروفسور علی اکبر مظاهری، ترجمه عبدالله توکل، نشر قطره، چاپ دوم، ۱۳۷۷، ص. ۷۰ و ۷۱

«در اوستا، سن پانزده مهم ترین اوقات عمر آدمی شمرده شده است (ادبیات مزدیسنا، ج ۲) و هر گاه چهارده گویند، منظور چهارده سال و سه ماه است که با ۹ ماه در رحم، مجموعا پانزده سال می شود(سال را از تاریخ انعقاد نطفه حساب می کردند.)»[۱]

«...از لحاظ یسنا (۹،۵) و از لحاظ ویدوات یا کتاب وندیداد، سن عادی بلوغ در هر دو جنس زن و مرد پانزده سالگی است. در این سن است که سدره و کمر بند مقدس ارزانی داشته می شود و پسر و دختر پای در اجتماع می گذارند و بالغ و رشید می شوند. اما این سن هم هنوز ابتدای سن بلوغ و رشد است. صغیر پیش از آیین سدره پوشی و کمر بند بستن نمی تواند عقد ببندد و حق ازدواج ندارد. پس به موجب اوستا، ازدواج تا پایان سن ۱۵ سالگی ممکن نیست. اما گفتن اینکه ازدواج در سنی معین ممکن است، بی شك و شبهه به معنی توصیه این امر در این سن نیست. حتی دستورانی [روحانیان زرتشتی] هم که احکام و فرامین کتاب مقدس را مو به مو پیروی می کنند، به نامزدان و خواستاران اندرز می دهند که پس از سن بلوغ، دو یا سه سال دیگر هم صبر داشته باشند. خود زرتشت بار اول که به فکر ازدواج افتاد، در حدود بیست سال داشت...»[۲]

«...وانگهی، می توانیم درباره قاطبه ایرانیان از یك چیز مطمئن باشیم. بی چیز ترین افراد و به ویژه آنهایی که زور بازویشان منبع و منشا هر ثروتی بود نمی توانستند مثل توانگران از پی پیراهن به تن کردن (سدره پوشی) و کمر بند مقدس به کمر بستن بی درنگ در صدد ازدواج بر آیند. می بایست سه چهار سالی کار کنند تا آن مختصر مبلغی را که برای سر و سامان دادن به زندگی شان ضرورت داشت به دست آورند و آنگاه بتوانند از حلاوت زندگی زناشویی

(۱) زن در ایران باستان، هدایت الله علوی، انتشارات هیرمند، ص ۵۲.
(۲) خانواده ایرانی پیش از اسلام، پروفسور علی اکبر مظاهری، ترجمه عبدالله توکل، نشر قطره، چاپ دوم، ۱۳۷۷، ص.۴۳

برخوردار شوند. و این امر ناگزیر آنان را به بیست سالگی یا حتی به آستانه سی سالگی هم سوق می داد.
شاهزادگان هم نظربه تنوع و مدت آموزشی که به ایشان داده می شد، می بایست تا سه چهار سال پس از بلوغ صبر کنند.»(۱)
چون در ارتباط با سن ازدواج به سِدرِه و کُشتی اشاره کردیم، در همین فرصت به نقل جزییاتی در این باره می پردازیم:

پیراهن زرتشتی یا سِدرِه:

به تن کردن پیراهن و بستن کمر بندقسمتی از آیین تقرب و تعمید ایرانیان زرتشتی است. به نظر می رسد که سدره به معنی پیراهن ستاره نشانی است که زرتشت بر تن دارد.
«پیراهن زرتشتی، پیراهنی سفید و آستین کوتاه است که بالایش چاك دارد و به حسب معمول، تا روی سرین می آید. در پایین چاك که روی شکم می افتد، جیبی است که علامت زرتشت است و این پیراهن را از پیراهن ملل دیگر که ممکن است به آن مشابهت داشته باشد متمایز می سازد. این پیراهن از پارچه پنبه ای یا پارچه پشمی دوخته می شود. کتان و ابریشم نیز ممکن است بکار برده شود. ابریشم نباید رنگین باشد.»
در کرمان، زرتشتیان پیراهن های درازی به تن می کنند. «دستوران اختراع سدره را به زرتشت نسبت می دهند و به گمان من مراد از این سخن فریضه بر تن کردن آن است. شاید هم جیب کوچکی که به روی شکم می افتد برای آن دستور داده شده است که سدره زرتشت از سدره ای که پیش از این معمول بوده است، متمایز باشد..» جاماساب آسانا در رساله کوچکش راجع به آیین تعمید زرتشتی (بر تن کردن پیراهن و بستن کمربند)برای کلمه سدره وجه

(۱) خانواده ایرانی پیش از اسلام، پروفسور علی اکبر مظاهری، ترجمه عبدالله توکل، نشر قطره، چاپ دوم، ۱۳۷۷، ص ۴۴

تسـمیه دیگری می آورد. به عقیده وی کلمه سـدره ترکیبی از دو کلمه پارسی سد (سود) و ره (راه) است و به معنی لباسی است که انسان را به راه راست و سودمند سوق می دهد.
این پیراهن قسمت های مختلفی دارد که هر یك مفهومی نهادین دارند. پیراهن سـدره از یك تخته پارچه درسـت می شـود که مفهوم آن یکی بودن زرتشتیان و مردم دیگر اسـت. رنگ آن سـفید است به نشـانه پاکی. از کتان یا پنبه درست مـی شـود که نهاد آفرینش گیاهان به دسـت اهورامزدا اسـت. چـاك گریبان آن یـادآور آن اسـت که هر زرتشـتی باید هر بـار که سر در گریبان مـی کند (فکر می کند)، توجه داشـته باشـد که آیا رفتارها، پندارها و کردارهای نیك داشـته اسـت یا نه. جیب پشـت گردن آن نشانه امکانات کارهای نیك گذشته است. جیـب جلـوی گریبان، یادآور کارهای نیك انجام شـده اسـت. بخیه مسـتقیم (تـیری) در سـمت چـپ جلو و پایـین پیراهن یادآور آن اسـت که دنیا همیشـه مکانی کامل نیست و بخیه سه گوشه سمت راست جلو و پایین آن نهاد سه بعد مادی، معنوی و روحانی دنیا است.

کمر بند مقدس یا کُشتی:

این کمر بند روی پیراهن بسته می شود. نامش در زبان پهلوی کشتیك است. «پارسـیان را از روی طنابی پشـمی یا پشم شتری که برای خودشان کمربندی از آن درسـت می کنند می توان باز شـناخت. و آن کمر بندی اسـت که دو بار دور کمر پیچیده می شود و در پشت دو گره می خورد.
درست کردن چنین کمربندی مستلزم آمادگی ویژه ای است. «این کار را زنان موبـدان بـه عهده دارند. و هنگامی که موبـد دو سر کمربند را بُبرد، دعایی می خواند و پس از آن زنان کارشان را به اتمام می رسانند... کُشتیك باید از هفتاد و دو رشـته نخ به وجود بیاید و دسـت کم یك بار به دور کمر بپیچد. عرض این کمر بند بسـته به کلفتی نخ ها است. در کرمان کشتیك هایی دیده می شود که

به گلدوزی هایی آراسته شده است و چندین انگشت عرض دارد. کُشتی هایی که پارسیان هند به کار می برند سخت باریک است، بیشتر از دو انگشت عرض ندارد ، در صورتی که درازیشان نه پا و هشت انگشت می شود.به ادعای پارسیان، اختراع کشتیك به دست جمشید جم صورت گرفته است». در نقوش برجسته ای که یادگار عهد هخامنشی است، زرتشت را می بینیم که کُشتی به دست دارد.

این کمربند (کشتی) نشانه آماده بودن و کمر بستن به انجام دستورات و راهنمایی های زرتشتی پندار نیك، گفتار نیك و کردار نیك است.(۱)

خواستگاری:

مراسم خواستگاری در ایران امروز را در بخش نخست و خلاصه مراسم زرتشتی قدیمی را در بخش دوم خواندید. در مورد این مراسم در ایران باستان اگر چه مدارك روشنی در دست نیست، اما می توان گفت این آداب و رسوم نیز بین گروه هایی از ایرانیان که به دلایل تاریخی، به ویژه حمله اعراب از ایران جدا شده اند تا حد زیادی دست نخورده باقی مانده اند. برخی از این گروه ها در بخش هایی دور افتاده، بسیار جدا از دیگران و در واقع بدون هیچ گونه ارتباطی با زرتشتیان ایران یا هند، مثلا در دهکده ای دور دست، این رسوم را حتی امروز انجام می دهند. این نوع بررسی نمونه ای،شاید تنها راه اثبات نسبی دست نخوردگی این مراسم باشد. در نتیجه وقتی شباهت های کامل

(۱)مطالب مربوط به سدره و کشتی را که در اینجا نقل کرده ام، از کتاب خانواده ایرانی در دوران پیش از اسلام، پروفسور علی اکبر مظاهری، ترجمه عبدالله توکل، نشر قطره، چاپ دوم، ۱۳۷۷، ص. ۲۱۰، ۲۱۱ و ۲۱۲ برداشت کرده ام و او خود منابع زیر را در ارتباط با این مطلب ذکر کرده است.
-انکتیل دو پرون، زند اوستاو ص.، ۵۲۹
-جاماسب ایانا، رساله ای درباره ی زرتشت -سفر نامه ها، ص.۱۸۳ -صد در بند هش، ۲-۴۶
-شاردن. همچنین مقاله سدره در اینترنت که در کتابنامه ذکر شده است.

این مراسم را با آنچه در ایران امروز می گذرد می بینیم، می توانیم نتیجه بگیریم که ایرانیان امروز هم در انجام این مراسم تا حد زیادی راه و روش نیاکان خود را پی می گیرند. در اینجا مقایسه ای کوتاه بین مراسم امروز و دیروز و روزهای دور گذشته را می خوانیم:
«ایرانیان امروز، رسمی به جا می آورند که شیرینی خوران یا (صرف شیرینی) خوانده می شود و مقدمه توافق یا به زبان دیگر، [مقدمه] نامزدی دو طرف است. «شیرینی خورده»، که همان نامزد زناشویی باشد، هنوز در قید تعهد کامل یا رسمی نیامده است، چندانکه این آیین که همیشه در آغوش خانواده و به زبان دیگر به صورت خانوادگی و در نتیجه به شکل خصوصی برگزار می شود، یك جنبه نوید ازدواج و وعده ازدواج دارد. مزداییان ایران و مزداییان هند که در حدود دوازده قرن است که از مادر وطن جدا شده اند، این رسم را به جای می آورند و ما این مراسم را مثل رسم های بسیار دیگر که در میراث ایرانی هم دیده می شود،در دامنه شمالی پامیر در سواحل زرافشان نیز می بینم. شیرینی خوران همزمان با مبادله هدایا انجام می پذیرد و این مراسم را در فلات ایران و تاجیکستان و میان پارسیان هند نیز باز می بینیم. در میان تاجیك ها، این هدایا از طاقه های پارچه و چند جفت کفش برای عروس آینده ترکیب می یابد. در میان ایرانیان از یك جفت دستنبد، گوشواره و جواهر یا هر چیز دیگر برای دختر به وجود می آید و چشم روشنی خوانده می شود.
آیین نامزدی کمی پس از آن برگزار می شود. دختری که «شیرینی خورده» بود، «نامزد» می شود. پدر و مادر جوان که در پایان این آیین، به خانه دختر خوانده می شوند، شیرینی تر و خشك می خورند، سپس اندك زمانی می گذرد و خانواده عروس آینده و خانواده داماد آینده، هدایایی به همدیگر می دهند که مال عروس و داماد آینده است. نامزدن یعنی نامزدی، در دوره ساسانیان نامژدان خوانده می شد. پیش از برگزاری آیینی که نامزدی را تسجیل و

(۱) خانواده ایرانی در دوران پیش از اسلام، پروفسور علی اکبر مظاهری، ترجمه عبداله توکل، نشر قطره، چاپ دوم، ص.۵۷ و ۵۸

تقدیس می کرد، دختر «نکرده نام»(نامزد نشده) خوانده می شد.»[۱]

«در یـزد، بـه هنگامـی که پسری بخواهد زن بگیرد، به وسیله موبد و شماسّی، دسته گل به خانه پدر و مادر دختر دلخواهش می فرستد. اگر پدر و مادر دختر بپذیرنـد، دسته گل را می گیرند و پس از دو، سه روز، خانـواده جوان نقل و حلقه طـلا یا نقـره به نامزد می فرسـتد. پدر و مـادر دختر نیز نقـل می دهند و نامـزدی صـورت می گیـرد. بـرای اتمام کار ازدواج، دو ماه و یک سـال بعد، از میان دوستان هفت تن که به خردمندی شهرت دارند، بـرگزیده می شوند و این اشـخاص بـه خانه جوان می روند و می پرسند که به ازدواج بـا دختری که به سـویش نظر دارد راضی اسـت یا نه. و چون جوان هفت بار جواب مثبت داد، جواب همین سوال هفت بار از نامزد خواسته می شود.

در شمال شرقی ایران هم، رسم و آداب همانند رسم و آداب یزد است. شولتسه چنین می گویـد: «وقتی که پدری دارای پسری در سـنین ازدواج بوده باشد و دختری در همسـایگی بـرای همسری آینده پسـرش پسـند افتاده باشد، به اتفاق سه تن از خویشانش به خانه پدر دختر می رود. در جریان صحبت با اینکه کسانش بـی انقطـاع حرف می زنند، خاموش می ماند. سـخن از موضوع دیدار به میان آوردن، به آسـانی صـورت نمی گیـرد، رسـم و آداب اقتضا می کند که ابتدا پدر نامزد از این امر جویا شود. چون پدر نامزد جویای غرض از این دیدار شد، در جواب می گویند که به خواستگاری دخترش آمده اند. پدر نامزد برای تفکر و تامـل در این بـاره، به حسـب معمول مهلت چند روزه ای خواسـتار می شـود. سپس جواب خویش را به اطلاع مهمانانش می رساند و آنگاه پدر داماد آینده به اتفاق تنی چند از بستگان، برای تشکر از پدر به خانه نامزد می رود. یکی از تیره شناسـان فرانسه خواسـتگاری کوه نشینان پامیر را به تقریب مثل همکار آلمانی خـود وصـف می کنـد و در ایـن زمینـه چنیـن می گویـد: «جوانی که میل دارد ازدواج کنـد، تنی چنـد از پیـران و سـالخوردگان اقربـای خـود یا تنی چند از دوسـتان را به خانه دختر دلخواهش روانه می کند و اینان باید مساله ازدواج را با

پـدر و مـادر دخـتر کـه در نظر گرفته است، فیصله دهند. اگر پـدر و مادر دختر موافقت نمودنـد، سـه چهار روز دیگر عده بیشـتری از خویشـان و بسـتگان یا دوستان داماد آینده به خانه عروس آینده می روند و تقاضای موکل خود را از نو بر زبان می آوند، مثل روز اول، به اتاق مخصوص مهمان برده می شـوند و آنجا، برایشـان آجیل و شیرینی آورده می شـود. پیش از آنکه سر میز بنشینند، آهسته بـه تـلاوت دعا مـی پردازند، سپس هدایـای خودشـان را در ایـن اثناءتقدیم می دارند و به صدای بلند تبریک و تهنیت می گویند.»

«...اینان که می بایست مردانی کار آزموده و تجربه دیده باشـند، هدایا و دسته گل به دست، به خانه پدر دختر می رفتند. پدر دختر از موضوع این دیدار جویا می شد،امابایـد خاطر نشان کرد که هرگز جا به جا، یعنی همین که خواستگاری صورت می گرفت، رضای خاطر خویش را اعلام نمی داشت. دسـت کم چند روزی چـه بـرای گـرد آوردن برخی اطلاعـات درباره خواسـتگار و چه برای استفسار رأی دخترش، زنش و دیگران...صبر می کرد. اگر دوشیزه پیشاپیش جوان را دیده بود و می شـناخت و دوسـت می داشت، هر آینه در رضا دادن به ایـن کار کوتاهی نمی کرد و پدرش می توانست به نماینـدگان دامادآینده اش جواب مساعد بدهد.

می دانیم که رضای دختر و پسـر شرط اساسـی توافق و نامزدی است، اما باز هم نمی دانیم منشـا این کارگردانی خانواده ها چیسـت و این صحنه سازی از کجا سر چشمه گرفته است.» [۱]

---

(۱)خانواده ایرانی در دوران پیش از اسلام، پروفسور علی اکبر مظاهری، ترجمه عبداله توکل، نشر قطره، چاپ دوم، ص. ۵۴ و ۵۵ و ۵۶

مهریه و شیر بها:

«در ضمن خواستگاری و مذاکرات راجع به زناشویی، میزا ن مهر یا مهریه را نیـز معـین می کردند»(۱) که البته مهریـه زن هر زمان که زن تقاضا کند می باید در اختیـارش قـرار مـی گرفت. عـلاوه بر آن، «به غـیر از مهریـه، مبلغی به نام شـیربها نیز به پدر و مادر دختر می پرداختند»(۲)(نگاه کنید به فلسفه شیربها در بخش اول این کتاب)

«نسـبت به مهر، اطلاع درسـتی در دست نیسـت و نمی دانیم تا چه میزان بوده است، اگر چه به نقل از [بعضی] روایات، دو هزار درهم سیم ویژه و دو دینار زر سرخ...» (۳)

«مـی توان حـدس زد که در اواخـر دوره سـاسـانی، میزان مهـر از حد معمول تجـاوز نمـوده، بـه طـوری کـه احتیاج بـه دسـتوری راجع بـه تقلیل آن داشـته است...» (۴)

جهیزیه:

در مـوردجزییـات جهیزیـه نیـز اگـر چـه اطلاعات زیادی در دسـت نیسـت، با توجـه بـه نکتـه ای کـه در زیـر مـی آیـد مـی توان نتیجه گرفت که جهیزیه بسـیار مفصل بوده اسـت. گویا دسـت کم در ابتدای کار، دلیل بسـیار خوبی برای مفصل بودن جهیزیه وجود داشته است. طبق این نوشته، پس از شوهر کردن، دختر دیگـر هیچگونـه سـهمی بـه عنـوان ارثیـه از خـانواده خود دریافت نمی کرد. اگر چه امروز دیگر این مطلب مطرح نیسـت و سـهم دختر در دریافت ارثیه به جای خود محفوظ مانده اسـت، اما مفصل بودن جهیزیه کماکان ادامه دارد.

«در مورد جهیزیه دختر اطلاعات زیادی در دست نیست، بارتلمه می نویسد:

---

(۱) و (۲) و (۳) و (۴)زن در ایران باستان، هدایت الله علوی، انتشارات هیرمند، چاپ دوم، ص.۸۴ و ۸۵

تعیین جهاز و چگونگی مقدار آن در هنگام بله بری، رل مهمی را بازی می کرده است، زیرا هنگامی که دختر شوهر می کرد، دیگر هیچگونه سهمی به عنوان ارث از پدر خود یا کفیل او دریافت نمی داشت. از این رو لازم بود که هنگام زناشویی، دختر حتی المقدور جهاز کامل و بزرگی با خود همراه ببرد. صورت فورمول شده یك چنین عقد ازدواجی، از عهد ساسانی به جای مانده و به دست ما رسیده است.» (۱)

روزهای خوب:

امروزه به نظر نمی رسد که تعیین روز ازدواج، تابع اعتقادات قدیمی، یعنی روزهای خوب و غیر خوب باشد، (اگر چه گمان نمی کنم کسی روز سیزدهم ماه را برای عقد و عروسی انتخاب کند) اما در ایران باستان، طبق گفته استرابون، به نقل از دایره المعارف مذاهب و اخلاق و همچنین ویس و رامین چنین در می یابیم که:

«ایرانیان دوره ساسانی، ازدواج های خودشان را در آغاز تعادل شب و روز بهار انجام می دهند. روز اول ماه (اورمزد) و روز بیستم ماه (وهرام) خوش ترین روز برای ازدواج بود و از این رو ازدواج ها مخصوصا در روز اول یا بیستم ماه بر گزار می شد، اما روز دهم نیز برای ازدواج خجسته روزی بود.» (۲)

مراسم پیمان زناشویی (گواه گیری):

مراسم عقد و ازدواج را تنها با مقایسه همان مراسم میان زرتشتیان ایرانی مقیم

---

(۱) زن در ایران باستان، هدایت الله علوی، انتشارات هیرمند، چاپ دوم، ص۵۵ به نقل از حقوق ساسانی، ص. ۲۰

(۲) خانواده ایرانی در دوران پیش از اسلام، پروفسور علی اکبر مظاهری، ترجمه عبدالله توکل، نشر قطره، چاپ دوم، ۱۳۷۷، ص. ۵۹

هند (پارسی) می توان مجسم کرد که شباهت فراوانی به مراسم عقد وازدواج امروز دارد. از بزك عروس، مراسم عقد کنان، و جشن مفصل عروسی، همگی همان مراسم دیرین است که با توجه به ویژگی فرهنگی سرزمین میزبان، تا اندازه ای رنگ محلی به خود گرفته است. همچنان که حتی در مناطق مختلف کشور ایران، این مراسم در هر منطقه ای رنگ و بوی خاص خود را دارد. شاید بتواند در آینده با گرد آوری جزییات این مراسم، به صورت کاری مستقل منبع خوبی برای حفظ اصالت این مراسم ارائه کرد.

در کتاب خانواده ایرانی در دوران پیش از اسلام، با بررسی ویس و رامین، در مورد آرایش عروس آمده است:

«[در ایران باستان]مشاطه به دقت به آرایش موها می پرداخت و زلف ها را به مشك و عنبر خوشبو می کرد. سپس گونه ها را می آراست، چشم ها را به یاری سرمه درشت تر می کرد، ابروها را هنرمندانه دست می برد. حتی در میان توده مردم نیز، نیم تاجی بر سر نوعروس نهاده می شد که مظهر ازدواج بود و این نیمتاج به گل بنفشه و گل نارنج و یاسمن و گل های سپید دیگر آراسته می شد...»(۱)

همچنین در مورد پیمان زناشویی می خوانیم:

«در اغلب نقاط ایران، به ویژه در نقاط یزد و کرمان که مرکز حفظ آداب قدیم ایرانی است، مرسوم است که در موقع خواندن خطبه عقد، دو عدد جار در دو طرف آیینه می گذارند که در آن ها یك شمع به نام عروس و یك شمع به نام داماد روشن می کنند و محتمل است که روشن کردن شمع، نشانه احترام به آتش و از یادگارهای دوران باستان باشد. و نیز در همان هنگام عقد، هفت

---

(۱)خانواده ایرانی در دوران پیش از اسلام، پروفسور علی اکبر مظاهری، ترجمه عبدالله توکل، نشر قطره، چاپ دوم،۱۳۷۷، ص. ۶۱ و ۶۲، به نقل از ویس و رامین.

جواهر در هاون می سایند و پس از خطبه عقد جوشانده ی هفت گیاه به عروس و داماد می دهند و روی منقل و در قهوه جوش دو عدد تخم مرغ در هفت ادویه به نیت اولاد می جوشانند...»(۱)

در گزارش زیر که از مراسم عروسی پارسی در هندوستان نقل می کند،و در مقاله ای در فوریه ۱۸۹۴ میلادی چاپ شده است، متوجه شباهت ها و همانندی ها می شویم:

«...آیین ازدواج با ورود هفت شاهد که چراغ به دست داشتند و پارسی پای به سن کهولت نهاده ای راهنمایشان بود، آغاز شد. این هفت تن در پیرامون مادر بزرگ پدری عروس حلقه زدند. آنگاه رییس گروه به صدای بلندی که همه حضار بشنوند، پرسید: (دختری که نامزد شده بود) کجاست؟ به این سوال جواب داده شده که برای گل چینی به حیاط رفته است و تکرار همان سوال مایه این اطلاع شد که این بار سر گرم بافتن است، هفت سوال دیگر هم به همین گونه به میان می آمد...در سوال هفتم، دختر که لباس سفید به تن کرده بود، پدیدار شد و همین قدر جواب داد:«اینجا هستم». همین که نامزد به درون آمد، گفت و گویی آغاز شد. سالخورده ترین شاهد پشت سر هم به هفت شاهد دیگر روی کرد و پرسید که جواب نامزد را شنیدید یا نه؟ شهود گفتند که شنیده اند. آنگاه به سوی نامزد برگشت و گفت:«ازدواج با...(داماد)را می پذیرد؟» و چون دختر جواب مثبت داد، از شهود پرسید که گفته دختر را شنیده اند یا نه. همه شهود باز هم به صدای بلند جواب دادند که شنیده اند. آنگاه روی به عروس کرد تا بداند چه کسی ولی اوست. دختر گفت که پدرش ولی اوست. سخن گو و شهود به پدر دختر نزدیک شدند و پرسیدند که دخترش را پیش از آن به خواستگار دیگری نداده است؟ و اکنون به رضای خاطر نخستین بار به شوهر می دهد یا نه؟ پدر به همه این سوال ها جواب مثبت

(۱) زن در ایران باستان، هدایت الله علوی، انتشارات هیرمند، چاپ اول، ص. ۸۶

داد. سپس داماد و پدر عروس، رو به روی یکدیگر روی فرش ها یی نشستند. یکی از بستگانش (برادر یا اگر برادر نبود، کسی دیگر) دست هایش را دراز کرد و بالای سر ایشان، دستمالی از ابریشم به رنگ برگ درخت موز نگه داشته... در مجمر، آتشی آوردند که معجونی از چوب صندل و چندین گونه عطر تیز ترش کرده بود. دستوری به داماد و پدر عروس نزدیك شد و به زبان دری سلسله ای اندرز برایشان خواندند. چون آیین نکاح پایان یافت، همه به پا خواستند و پسر و دختر که ازآن پس زن و شوهر شده بودند کنار یکدیگر روی دو صندلی نشستند. دو دستور روبرویشان ایستادند و دانه های انار ومغز گردو بر سر عروس و داماد ریختند و دعای خیر و رحمت خواندند»(۱)

دست به دست دادن:

مراسم دست به دست دادن، آن گونه که پیش تر یاد آور شدیم، مراسمی است که درست پیش از ورود عروس و داماد به حجله در پایان جشن عروسی انجام می شود. در میان گروهی از پارسیان هند، این مراسم در هنگام عقد صورت می گیرد:

«روی به عروس و داماد می کنند و چنین می گویند: «هر دو رضا داده اید که به موجب وعده خودتان تا پایان زندگی به راستی و درستی رفتار کنید؟» عروس و داماد می گویند که:«آری، رضا داده ایم» این آیین ها که هاثی وارو خوانده می شود، اصل و اساس کاراست و چنان که دیدم، عبارت از نهادن دست نو عروس در دست داماد است. «این دست، دست راست است و برای این کار، عروس و داماد می بایست در صدر مجلس به روی تخت بنشینند. این رسم، در عصر ما هم در میان مسلمانان ایران، به عنوان دست به دست دادن

(۱) خانواده ایرانی پیش از اسلام، پروفسور علی اکبر مظاهری، ترجمه عبدالله توکل، نشر قطره، چاپ دوم، ۱۳۷۷، ص.۶۸ و ۶۹

رایج است و برای حصول به این منظور، پدر داماد یا یکی از بستگان او، دست عروس را در دست داماد می گذارد و بر دوش های زن و شوهر جوان که باید در همان لحظه به روی یکدیگر بوسه دهند، مشتی سکه طلا یا نقره و مشتی نقل و نبات شاباش می کند.» ایرانیان پیشین در آن لحظه، به سلامت نو عروس و تازه داماد باده می خوردند[۱]

در پایان نکته ای را در باره جشن عروسی یادآوری می کنم که این جشن همیشه مراسم باشکوهی بوده وهست. حتی آنان که از مال دنیا بهره ای ندارند نیز آن را در حد توان خود به نحوی مفصل انجام می دهند، بخوانیم:

«...در ایران به مناسبت ازدواج چه در شهر و چه در ده، همه اهل محله یا همه اهل ده به مهمانی خوانده می شوند. خلاف آبرو و اصول معاشرت ایرانی است که در خانه در چنان روز شکوهمندی بسته شود. باید چارطاق باز گذاشت و ازَ روی ادب از همه رهگذران خواهش کرد که قدم رنجه فرمایند و به درون بیایند.»[۲]

متن پیمان گواه گیران:

بی تردید خواننده این کتاب با خطبه عقد در دین اسلام و همچنین خطبه عقد در دین مسیحی آشنا هستند. چون در این کتاب، از عروسی زرتشتی به عنوان آیین کهن ایران سخن به میان آورده شده است، در اینجا متن پیمان گواه گیران در عروسی زرتشتی نیز، چون ممکن است به سادگی در دسترس نباشد، برای آشنایی خوانندگان نقل می شود:

(۱) خانواده ایرانی پیش از اسلام، پروفسور علی اکبر مظاهری، ترجمه عبدالله توکل، نشر قطره، چاپ دوم، ص. ۶۶و ۶۷و۶۸

(۲) خانواده ایرانی پیش از اسلام، پروفسور علی اکبر مظاهری، ترجمه عبدالله توکل، نشر قطره، چاپ دوم، ص. ۶۱

«هـر دو تـن را شـادمانی افزون باد، همیشـه با فر و شکوه باشـید، بـه خوبی و خوشـی به سر برید، در ترقی و افزایش باشـید، به کردار نیک سـزاوار باشـید، نیـک پندار باشـید، در گفتار نیکو باشـید، در کـردار نیکی به جـای آورید، از هر گونه بد اندیشـی و بدگویی دور بمانید. هر گونه بدکاری بسـوزاد، راسـتی پایـدار باد، جادویی نگون باد، به دین مزدیسـنی اسـتوار باشـید، محبت داشـته باشـید، با کردار نیک کسـب مال و ثروت کنید، با بزرگان یکدل و راسـت و فرمان‌بردار باشـید، با یـاران فروتن و نرم خو باشـید، غیبت نکنید، خشـمناك نشـوید، گناه مکنید، آز مورزید، از چیزی بی جا دردمند نشـوید، حسد مبرید، تکبر نکنید، هوی و هوس مپرورید، مال کسـان نبرید، از زن کسـان پرهیز کن، بـا غیبت کننده همـراه مباش، بـا بدنـام پیونـد مکن، بـا نـادان همكار مباش، با دشـمنان بـه داد و عدالـت رفتـار کـن، با دوسـتان بـه میل ایشـان رفتـار نما، با بیچـارگان پیکار مکن، در انجمن پخته گفتار باش، پیش پادشـاهان سـنجیده سـخن گـوی، ماننـد پدر نامـوار بـاش، به هیـچ روی مادر را میـازار، با راسـتی کامیاب و کامروا باش.»[۱]

---

(۱) زن در ایران باستان، هدایت اله علوی، انتشارات هیرمند، چاپ اول، ص. ۸۷، به نقل از کتاب تاریخ اجتماعی ایران.

کتابنامه

این نوشته آمیزه ای است از مشاهدات شخصی، پرسش از افراد گوناگون، دست نوشته ای در باره عروسی زرتشتی، مطالب موجود در کتاب ها و نیز مقالاتی که در اینترنت در مورد عروسی ایرانی وجود دارد. تلاش شده است که تا حدی مقایسه ای بین مراسم امروزی و رسوم قدیمی و باستانی ارائه شود. در نگارش این نوشته، از منابع زیر بهره گرفته ام که با سپاس ویژه از آنها یاد می کنم:

۱- زن در ایران باستان، هدایت الله علوی، انتشارات هیرمند، چاپ اول، ۱۳۷۷ .

۲- تهران قدیم(طهران قدیم)، جعفر شهری، انتشارات معین، چاپ سوم، ۱۳۸۱.

۳- خانواده ایرانی در دوران پیش از اسلام، پروفسور علی اکبر مظاهری، ترجمه عبدالله توکل، نشر قطره، چاپ دوم، ۱۳۷۷ .

۴- ازدواج زرتشتی، گوهر نامداران، دست نوشته ویژه این کتاب، ۲۰۰۱ .

Internet and Reference:

5-Philosophy of Persian Marriage Ceremony.

www.wedsitedesigners.com/exquisit/ceremon/htm.

6-Persian Wedding Ceremony

Najmieh Batmanglij.

www.mage.com/RCW.html

7-A Wedding-Tehrani Style

B.Bagheri.

www.persianoutpost.com/htdocs/perswed.html.

8-The Sedreh

www.zarathustra.org/zarathustra/culture/html.

9-The Marriage Ceremony of Parsis,Jivanji Jamshidji , Modi.B.A

www.avesta.org/ritual/zwedding.html.

www.culturegames.com

10-Marriage Ceremony history

www.cultureofiran.com/marriage.php

شرح عکس های میانه کتاب

۱ - سفره سنتی عقد، از کتاب
New Food of Life: Ancient Persian and Modern Iranian Cooking and Ceremonies by Najmieh Batmanglij. Courtesy of Mage Publishers, Washington , D.C.

۴،۳،۲ - سفره های عقد، طرح واجرا: خرمن اخوان
تصویرها: «سایه فیلم»، سهراب ریاحی

۵ تا ۶۶ - جزییات گوناگون سفره عقد از «سایه فیلم»، سهراب ریاحی

۶۷ و ۶۸ - شخصی

۱۵ - سفره عقد
۱۷ - سفره عقد

۲۷- بخشی از اوستا

۲۸- سوزن و نخ

۲۹- آیینه

۳۰- نان و سبزی خوردن

۳۱- بخشی از خوانچه به شکل بته ترمه

۳۲- بادام، گردو

۳۳- تخم مرغ

۳۴- گلابدان

۳۵- سفره عقد

۳۶- آیینه، لاله

۳۷- سبزی خوردن به شکل گل

۳۸- شاخه نبات

۳۹- سفره

۴۰- جعبه تور یا جواهر

۴۱- سفره عقد

۴۲- تخم مرغ

۴۳- گلابدان

۴۴- سفره

۴۵- شاخه نبات

۴۶- حلقه و انگشتر

۴۷- دسته گل عروس

۴۸- سبزی خوردن به شکل گل

۴۹- تخم مرغ

۵۰- تخم مرغ، کاسه نبات

۵۱- بادام، گردو، فندق

۵۲- سفره

۵۳- شمعدان

۵۴- سفره عقد

۵۵- حلقه

۵۶- کاسه نبات

۵۷- نان سنگک، باقلوا

۵۸- عسل

۵۹- سفره

۶۰- گلابدان، باقلوا

۶۱- کله قند، شربت

۶۲- بسته های کوچک نقل

۶۳- جانماز، مهر، تسبیح

۶۴- کله قند، گلابدان

۶۵- منقل

۶۶- پارچه ابریشمی ساییدن قند

۶۷- سفره عقد

۶۸- سینی نامزدی

53 54 55 56

57 58 59 60

61 62 63 64

65 66 67 68

37

38

39

40

41

42

43

44

45

46

47

48

49

50

51

52

21 22 23 24

25 26 27 28

29 30 31 32

33 34 35 36

5

6

7

8

9

10

11

12

13

14

15

16

17

18

19

20